1874

D0094526

rowohlts monographien

HERAUSGEGEBEN

VON

KURT KUSENBERG

ARNOLD SCHÖNBERG

IN
SELBSTZEUGNISSEN
UND
BILDDOKUMENTEN

DARGESTELLT
VON
EBERHARD FREITAG

ROWOHLT

Dieser Band wurde eigens für «rowohlts monographien» geschrieben
Die Zeittafel, die Zeugnisse und die Bibliographie besorgte der Autor
Herausgeber: Kurt Kusenberg · Redaktion: Beate Möhring
Schlußredaktion: K. A. Eberle
Umschlagentwurf: Werner Rebhuhn
Vorderseite: Arnold Schönberg mit seiner Frau Gertrud, um 1930
(Slg. Lawrence A. Schoenberg, Los Angeles/Cal.)
Rückseite: Entwurf für eine Spielkarte, von Arnold Schönberg
(Slg. Lawrence A. Schoenberg, Los Angeles/Cal.)

Meinen Eltern

Veröffentlicht im Rowohlt Taschenbuch Verlag GmbH,
Reinbek bei Hamburg, August 1973
© Rowohlt Taschenbuch Verlag GmbH, Reinbek bei Hamburg, 1973
Alle Rechte an dieser Ausgabe vorbehalten
Satz Aldus (Linofilm-Super-Quick)
Gesamtherstellung Clausen & Bosse, Leck/Schleswig
Printed in Germany
ISBN 3 499 50202 X

INHALT

Ich bin nur ein Vorläufer. Ich weiß zwar nicht, warum, aber es behaupten viele. Vor allem meine Nachläufer: Sie werden erst vollenden oder wahrscheinlich sogar erst schaffen. Ich bin offenbar Johannes der Täufer (wahrscheinlich weil ich einen auf einer Silberschüssel denkbaren Kopf habe), und sie kochen mit dem Wasser, mit dem ich taufe; einstweilen taufen auch sie, obwohl Täuflinge fehlen. Aber es ist immerhin gut, die Namen vorrätig zu haben und die Rollen verteilt zu wissen. So wie ein Dichter vielleicht manchmal die Namen der Personen und das ganze Verzeichnis der Handelnden früher haben mag als das Szenarium. Vorläufig genügt das.

Wie sollte nicht für die, deren Genügsamkeit sich als so ausreichend erweist, auch ich vorläufig genügen? Und wer könnte solchen, denen alles vorläufig ist, anders als ebenfalls vorläufig erscheinen? Aber ich bin ohnedies nicht sehr besorgt: Meine Nachläufer werden mich bald nicht mehr einholen, da ihnen mein Atem ausgehen wird.

Mödling, 29. 5. 1923[1]*

Am 13. September 1874 wurde Arnold Schönberg in Wien als ältestes von drei Kindern des Kaufmanns Samuel Schönberg (1838–90) und seiner Ehefrau Pauline, geb. Nachod (1848–1921) geboren. Der aus Preßburg stammende Vater war mit vierzehn Jahren in die habsburgische Metropole gekommen und hatte dort seine aus Prag gebürtige Frau kennengelernt. Gemeinsam betrieben sie ein kleines Schuhgeschäft.

Eine musikalische Tradition in der Familie ist nicht nachweisbar, obwohl die Eltern Freude an der Musik hatten und der Vater in jüngeren Jahren Mitglied eines Gesangvereins gewesen war, *aber keinesfalls kann ich sagen, daß das irgendwie über das hinausreichte, was jeder nicht gerade musikfeindliche Österreicher an Musikalität besitzt. Denn in bezug auf Musik gab es keinen Enthusiasmus in meiner Familie, so wie in den anderen, in denen Wunderkinder gezüchtet wurden.*[2] Es ist auffällig, daß er über seine Familie kaum gesprochen hat und auch in späteren Jahren zu niemandem, selbst nicht der engeren Umgebung, von seiner Herkunft erzählte, so daß er den Eindruck eines musikalischen Kaspar Hauser zu erwecken schien und Theodor W. Adorno sagen konnte, um Schönberg sei die Aura des «vom Himmel Gefallenen»[3] gewesen.

Mit acht Jahren lernte er, Geige zu spielen, und etwa zur gleichen Zeit beginnen die ersten Kompositionsversuche, von denen er später

---

* Die hochgestellten Ziffern verweisen auf die Anmerkungen S. 116 f.

Der Vater: Samuel Schönberg

sagte, daß sie nichts anderes gewesen seien als Imitationen der ihm damals zugänglichen Musik, also Violinduette, Opernarrangements und das Repertoire von Militärkapellen, die zu den Feiertagen in öffentlichen Parks spielten. Aus einer Mozart-Biographie, die er im Haus fand, erhielt er die Anregung, seine Kompositionen auch ohne die Zuhilfenahme eines Instruments zu schreiben.

In der Neujahrsnacht 1890 stirbt der Vater, der an einer Lungeninfluenza litt, ein Jahr später verläßt der jetzt sechzehnjährige Arnold vorzeitig die Realschule und arbeitet als Angestellter in einer Wiener Privatbank. Diese von wirtschaftlicher Notwendigkeit diktierte Tätigkeit erweist sich für ihn sehr bald als unerträglich, und als nach einiger Zeit die Bank in Konkurs gerät, nutzt er diesen Anlaß, um sofort den Beruf aufzugeben, was zu einem ernsten Konflikt mit der Familie führt.

Der Fünfjährige. Wien, 1879

Hans Nachod, ein Cousin Schönbergs und später der erste Interpret des Königs Waldemar in den *Gurreliedern*, berichtet darüber: «Es war ein Schock für die Familie, als Arnold eines Tages nach Hause kam und erklärte: Ich habe es satt! Ich gehe nicht wieder ins Büro, ich werde Musiker! Die Aufregung war groß, und ich erinnere mich, daß ein Familienrat einberufen wurde, um zu verhindern, daß aus Arnold statt eines guten Bürgers ein Bohèmien werde.»[4]

Eine entscheidende Wende tritt ein, als der Einundzwanzigjährige Mitglied des kleinen Orchesters «Polyhymnia» wird, dessen Dirigent Alexander von Zemlinsky war, der gerade sein Studium am Wiener Konservatorium abgeschlossen hatte. Er wurde später Leiter der Oper am Prager Deutschen Landestheater und war seit 1927 Kapellmeister an der Berliner Kroll-Oper. In einem 1949 verfaßten Rückblick, der

Wien: die Mariahilfer Straße, um 1890

unter der Überschrift *Meine künstlerische Entwicklung* in der mexikanischen Musikzeitschrift «Nuestra Musica» erschien, berichtet Schönberg, daß er *Zemlinsky das meiste meiner Kenntnisse über die Technik und die Probleme des Komponierens verdankt. Ich war stets der Überzeugung und glaube es noch heute, daß er ein großer Komponist war. Vielleicht kommt seine Zeit früher als wir denken.*[5] Über das Zusammentreffen der beiden Musiker 1895 in der «Polyhymnia» ist ein anschaulicher Bericht Zemlinskys überliefert:

«Das Orchester hatte mich zu seinem Dirigenten gewählt. Es war nicht groß: ein paar Violinen, eine Bratsche, ein Cello und ein Contrabaß – eigentlich nur ein halber. Aber so unbescheiden wir sonst waren, mit unseren Leistungen waren wir sehr zufrieden. Wir waren alle musikhungrig und jung und musizierten recht und schlecht, jede Woche einmal, drauflos. Nun, solche Vereine hat es immer wieder gegeben; das war nichts Ungewöhnliches. Jedoch, an dem einzigen Cellopult saß ein junger Mann, der ebenso feurig wie falsch sein Instrument mißhandelte (das übrigens nichts Besseres verdiente – es war von seinem Spieler um sauer erspartе drei Gulden am sogenannten Tandelmarkt in Wien gekauft), und dieser Cellospieler war niemand anderer als Arnold Schönberg.»[6]

Zemlinsky war Schönbergs erster und einziger Lehrer, wobei der Unterricht jedoch nicht als traditionelles Schüler-Meister-Verhältnis verstanden werden darf; es waren eher angeregte Diskussionen um musiktheoretische Fragen zwischen Freunden, die auf Schönberg großen Einfluß ausübten. *Ich war zu der Zeit, als ich mit Zemlinsky bekannt wurde, «Brahmsianer». Seine Liebe galt sowohl Brahms wie Wagner, und in kurzer Zeit wurde ich gleichermaßen ein überzeugter Anhänger beider. Kein Wunder daher, daß die Musik, die ich damals komponierte, den Einfluß beider Meister widerspiegelte, zu dem noch eine Spur von Liszt, Bruckner und vielleicht auch Hugo Wolf hinzukam.*[7] 1897 fertigte Schönberg den Klavierauszug für Zemlinskys Oper «Sarema» an; die Anregungen, die er dem Freund verdankt, hat er immer wieder hervorgehoben, auch nachdem sich in den zwanziger Jahren ihre künstlerischen und menschlichen Wege spürbar getrennt hatten. Als er 1933 in Boston den Entwurf seiner Stichwortbiographie für das Herder-Lexikon skizzierte, hat er sich noch einmal ausdrücklich als *Schüler Zemlinskys*[8] bezeichnet.

Im Herbst 1897 schrieb er, dreiundzwanzigjährig, das *Streichquartett in D-Dur*, das erste Quartett, das öffentlich aufgeführt wurde, eine beifällige Aufnahme erhielt und damit den Anstoß zur Veröffentlichung der nächsten Werke gab. Als Schönberg während der Arbeit am dritten Satz seinem Freund Zemlinsky die Partitur zeigte, war die Folge des kritischen Gesprächs, daß er den ersten Satz noch einmal überarbeitete und die restlichen Teile völlig umschrieb. In der Saison 1897/98 wurde das Werk durch ein Quartett aus Mitgliedern des Tonkünstler-Vereins uraufgeführt; die Wiederholung im folgenden Jahr besorgte das renommierte Fitzner-Quartett. Das Material weist starke, an Brahms und Dvořák[9] erinnernde Züge auf, aus denen die Phase des Wagnerschen Idioms der kommenden Jahre noch nicht abzulesen ist. Durch sorgfältige motivische Verknüpfungen werden die Beziehungen zwischen den vier Sätzen in großer Klarheit deutlich. Schönberg hat die Partitur – in dieser Größenordnung die früheste, die erhalten geblieben ist – nach seiner Emigration in die USA der Library of Congress in Washington übergeben.

Von den zahlreichen zwischen 1898 und 1900 entstandenen *Liedern* gab Schönberg zunächst zwölf mit den Opuszahlen 1 bis 3 heraus, Vertonungen von Gedichten von Karl von Levetzow («Dank», «Abschied»), Richard Dehmel («Erwartung», «Jesus bettelt», «Erhebung»), Johannes Schlaf («Waldsonne»), Gottfried Keller («Die Aufgeregten», «Geübtes Herz»), Jens Peter Jacobsen («Hochzeitslied»), Hermann von Lingg («Freihold») und aus «Des Knaben Wunderhorn». Ihre Herkunft aus der spätromantischen Tonsprache, vor allem aus der Tradition Brahms' und Wagners, ist unverkennbar. In dem

11

hochentwickelten polyphonen Gewebe legt sich der Akzent oft auf harmoniefremde Töne, Wiederholungen werden nach Möglichkeit vermieden. Auffällig disparat ist der Charakter der ausgewählten Textvorlagen, die Gruppen der Gedichte irritieren durch stilistische und inhaltliche Inkongruenz. Der Naturalist Schlaf neben dem Spätromantiker Jacobsen, dazu ein schwülstig-erotisches Poem von Dehmel («Jeden Abend will ich ahnen, wem du dich im Bade rüstest, o Maria») oder das Gruselpathos des gleichen Autors:

> «Aus der roten Villa neben der toten Eiche
> winkt ihm eine bleiche Frauenhand»

zeugen von einer erstaunlichen Unsicherheit in der Wahl der zu vertonenden Sujets, auf welche vielleicht durch die Feststellung Schönbergs einiges Licht geworfen werden kann, *daß ich viele meiner Lieder, berauscht von dem Anfangsklang der ersten Textworte, ohne mich auch nur im geringsten um den weiteren Verlauf der poetischen Vorgänge zu kümmern, ja, ohne diese im Taumel des Komponierens auch nur im geringsten zu erfassen, zuende geschrieben und erst nach Tagen daraufkam, nachzusehen, was denn eigentlich der poetische Inhalt meines Liedes sei*[10]. Diese Beobachtung wurde dem für Schönbergs frühe Ästhetik wichtigen Aufsatz *Das Verhältnis zum Text* entnommen, der in dem von Wassily Kandinsky und Franz Marc herausgegebenen Almanach «Der Blaue Reiter» 1912 in München erschien.

Da seine finanzielle Lage sehr schlecht war, mußte er sich nach einer geregelten Einkommensquelle umsehen, die aber, und das war seit der Aufkündigung seines Arbeitsverhältnisses mit der Bank eine Selbstverständlichkeit, Beziehungen zur Musik haben sollte. Hier kam ihm Josef Scheu, der Begründer des Österreichischen Arbeitergesangvereins, zu Hilfe, als er ihm 1895 eine Stelle als Chormeister beim Metallarbeitersängerbund in dem Wiener Industrievorort Stockerau beschaffte, wo Schönberg, weit über das sonst einschlägige Repertoire hinaus, sogar Chöre von Brahms einstudiert hat. Spürbare politische Impulse scheint dieser erste Kontakt mit der Arbeiterschaft bei ihm indessen nicht hinterlassen zu haben.

Aus der Beschäftigung mit der Lyrik Dehmels, die sich in den Jahren vor dem Ersten Weltkrieg noch intensivieren sollte, entsteht als Opus 4, als erstes größeres Werk des Komponisten, das *Streichsextett Verklärte Nacht*, das heute mit den Prädikaten hochromantisch oder spätklassisch bedacht wird, während es bei der Uraufführung 1902 durch das verstärkte Rosé-Quartett im Wiener Kleinen Musikvereinssaal auf erhebliche Widerstände stieß. Der Partitur ist Richard Dehmels Dichtung «Verklärte Nacht» aus dem Zyklus «Weib und Welt» vorange-

stellt, in der ein namenloses Weib ihrem Geliebten während eines nächtlichen Spaziergangs die Enthüllung macht, daß sie ein Kind von einem anderen erwartet. Besser als jedes inhaltliche Referieren kann die Antwort des Mannes einen Einblick in die Atmosphäre des Gedichts geben:

> Das Kind, das Du empfangen hast,
> sei Deiner Seele keine Last,
> o sieh, wie klar das Weltall schimmert!
> Es ist ein Glanz um Alles her,
> Du treibst mit mir auf kaltem Meer,
> doch eine eigne Wärme flimmert
> von Dir in mich, von mir in Dich.
> Die wird das fremde Kind verklären,
> Du wirst es mir von mir gebären.[11]

Entscheidend für die kompositorische Gestaltung sind die hochdramatischen Stimmungsqualitäten des Gedichts, während das stilisierte Pathos der Handlung für die Musik Schönbergs unwesentlich bleibt. Die innere Dynamik wird beherrscht von einem steten Wechsel vorwärtstreibender und zurückhaltender Motivgruppen, die das für Schönbergs Frühwerke charakteristische Rubato-Melos bilden. Der Komponist berichtet von dem Erstaunen seiner Freunde, als *ich mit der Partitur der Verklärten Nacht ankam und ihnen einen bestimmten Takt zeigte, an dem ich eine ganze Stunde gearbeitet hatte, während ich die gesamte Partitur von 415 Takten in drei Wochen schrieb. Dieser Takt ist tatsächlich etwas kompliziert, da ich, entsprechend der künstlerischen Überzeugung jener Zeit (der nach-Wagnerischen), die Idee ausdrücken wollte, die dem Gedicht zugrunde lag, und mir eine komplizierte kontrapunktische Kombination als der beste Weg dazu erschien: ein Leitmotiv und seine Umkehrung gleichzeitig gespielt.*[12]

In dem einsätzigen Stück werden, wie eine Analyse von Harald Kaufmann deutlich macht, «die Tendenzen der Kammermusik von Brahms beim Wort genommen: Was sich an thematischer Figur vorstellt, wird erst im Nachhinein durch auswählende Verarbeitung bestätigt, aus dem Thema wird ein Ausschnitt, ein winziges Motiv, herausgebrochen und umfänglich durchgeführt»[13], ein Prozeß, der die «Entmythologisierung des Themas» (Kaufmann) einleitet.

Der Klangeindruck bezeugt eine nicht verleugnete Wagner-Nachfolge, ein Umstand, der die Jury des Tonkünstlervereins zur Ablehnung der vorgelegten Partitur bewog, nachdem man zugleich voller Entrüstung auf die bis dahin noch nicht gewagte Umkehrung des Dominant-Sept-Non-Akkords hingewiesen hatte. Als das Rosé-Quartett dann noch eine Aufführung durchsetzte, gab es in Wien den ersten großen Skandal um Schönberg. Die offizielle Kritik reagierte hilflos; unfähig, auf die neue Tonsprache einzugehen, orientierte sie sich fast ausschließlich am Text Dehmels, der a priori als musikalisch nicht umsetzbar dargestellt wurde. Somit war es dann ein Leichtes, den Versuch Schönbergs von vornherein als einen Irrweg zu bezeichnen, wobei man ihm gleichzeitig schulterklopfend einiges Talent bescheinigte. Im Feuilleton der Wiener «Neuen Freien Presse» nahm sich das dann so aus:

«Programmusik, die schon mehr als einmal ein Scheinleben begann und jetzt wieder eine vorübergehende Auferstehung feiert, scheint nun auch in die Kammermusik übergreifen zu wollen. A. Schönberg, der Komponist eines Streichsextetts nach Richard Dehmel, hat uns auf diese alt-neue Angelegenheit gebracht. Daß er diesmal soweit vom Ziel blieb wie mancher andere, der sich an der Ermöglichung des Unmöglichen versuchte, wird wohl jedermann erkennen, der dem Verlauf des

Ende der neunziger Jahre

merkwürdigen Werkes folgte: Ein Weib trifft den Herrn ihrer Seele, nachdem es vom Herrn ihres Leibes ein Kind empfangen; der Erstere erklärt sich unter dem Eindruck einer herrlichen Mondnacht zur Übernahme reueloser Stiefvaterschaft bereit. Und das soll durch Musik ohne Worte geschildert werden?

Dabei unterläuft nun nebst absichtlich Confusem und Häßlichem manches Ergreifende, Rührende, manches, das den Hörer mit unwiderstehlicher Gewalt bezwingt, sich ihm in Herz und Sinne drängt. Nur

15

*«Lustiger Abend» mit Fritz Kreisler (links). Am Cello: Schönberg.
Um 1898*

eine ernste, tiefe Natur kann solche Töne finden, nur ein ungewöhnliches Talent kann sich auf so dunklem Wege selbst in solcher Weise voranleuchten. Die Aufnahme der Novität war eine geteilte. Viele verhielten sich ruhig, einige zischten, andere applaudierten, im Stehparterre brüllten ein paar junge Leute wie die Löwen.»[14]

1901 heiratete Schönberg die Schwester seines Freundes, Mathilde von Zemlinsky, eine unauffällige, stille Frau, von der Oskar Kokoschka einmal schalkhaft bemerkte, daß sie «die Wärme eines russischen Ofens»[15] ausgestrahlt habe. Im Frühjahr des gleichen Jahres lernte Schönberg den Kabarettisten Ernst von Wolzogen kennen, der ihm für sein Berliner «Buntes Theater», das auch unter dem Namen «Überbrettl» firmierte, eine Stelle als Kapellmeister anbot. Der Kontakt kam wahrscheinlich zustande, weil Schönberg bereits Werke von Dichtern, die auch Texte für das «Überbrettl» lieferten, darunter Bierbaum und Dehmel, vertont hatte. Ungeklärt ist, warum er damals Wien verließ. Vielleicht waren es finanzielle oder familiäre, kaum jedoch künstlerische Gründe, die den Fortgang an ein Berliner Kabarett veranlaßten.

Freiherr von Wolzogen, Intendantensohn, Generalsenkel und Schwiegergroßneffe Schillers, war eine der eigenartigsten Erscheinungen im Bereich der Leichten Muse um die Jahrhundertwende; mit Hilfe seines Kabaretts sollten die «lieben deutschen Barbaren zur Anmut, zur seelischen Leichtigkeit»[16] erzogen werden, wobei er als glühender Nietzscheaner dessen philosophische Anschauungen — oder was er dafür hielt — für seine Schaubühne fruchtbar machen wollte: «Und wie Nietzsches Traum vom Übermenschen auf mein Schlagwort vom ‹Überbrettl› abgefärbt hatte, so auch die Nietzscheschen Lieblingsideen vom dionysischen Menschen, vom Tänzer, von der fröhlichen Wissenschaft, von der Bändigung der blonden Bestie durch eine Kultur der Anmut . . .»[17] Als Schönberg mit seiner jungen Frau im Winter 1901 in Berlin eintraf, hatte Wolzogen sein von dem renommierten Jugendstil-Architekten August Endell entworfenes Haus mit 800 Plätzen eröffnet. Der Abguß einer Nietzsche-Büste im Foyer kündete von den Ambitionen des Hausherrn.

Schönberg hatte Chansons einzustudieren und steuerte zudem selbst einige *Brettl-Lieder* bei (nach Texten von Falke, Salus, Bierbaum und Wedekind), deren Partituren nach seinem Tod im Nachlaß auftauchten; kompositorisch müssen sie als Versuche der Anpassung an die Erfordernisse der Leichten Muse gesehen werden. Das Poem «Nachtwandler» des Hamburgers Gustav Falke hat er unter Einbeziehung eines kleinen, eigenwilligen Instrumentalensembles (Piccoloflöte, Trompete, kleine Trommel und Klavier) vertont, das akustisch die pseudomilitärischen Vorgänge im Text parodiert. *Das war vielleicht das erste Muster orchestraler Kammermusik und ein Vorläufer des*

Richard Dehmel

Jazz.[18] Doch trotz seiner eingängigen Melodien wurde das Stück *in einem solcher Musik ganz gleichgültig gegenüberstehendem Kreise*[19] kein Erfolg, vielleicht weil es den Zuhörern einige unvertraute Akkorde und eine ständig wechselnde Rhythmik zumutete. Es wurde gleich nach der Premiere abgesetzt, und statt Wolzogens hochgespannter Erwartungen setzten sich bald die Vorstellungen seines Textlieferanten Otto Julius Bierbaum durch:

«Es müssen Lieder sein, die gesungen werden können; das ist das erste. Das zweite und nicht minder Wesentliche aber ist, daß sie für eine Menge gesungen werden können, die nicht etwa, wie das Publikum eines Konzertsaales, darauf aus ist, ‹Große Kunst› kritisch zu genießen, sondern die ganz einfach unterhalten sein will.»[20]

Viele der musikalischen Beiträge für das Kabarett stammten von dem Wiener Operettenkomponisten Oscar Straus, der allerdings bald zur Konkurrenz, dem «Bunten Brettl», überwechselte; von Straus ist überliefert, daß sich Schönberg oft mit der flachen Hand entsetzt auf die Glatze geschlagen habe, wenn ihm die dürftigen Texte mit anspruchslosen Partituren zum Einstudieren übergeben wurden. Unter diesen Umständen fand seine künstlerische Kompromißbereitschaft sehr schnell ihre Grenzen, und nach mehrmaligen Auseinandersetzungen mit der Intendanz kündigte er seine Kapellmeisterstelle am «Überbrettl», dieser «Verbindung von Bühne und Parkett» (Heinz Greul)[21]. Im darauffolgenden Jahr schloß das Theater, als «Vorüberbrettl» bespöttelt, seine Pforten wegen finanziellen Mißerfolgs.

In diese Zeit des ersten Berliner Aufenthalts fällt auch die Begegnung mit Richard Strauss. Der Kontakt war wahrscheinlich noch durch Wolzogen, den Librettisten der «Feuersnot», zustande gekommen. Der ältere, einflußreiche Kollege setzte sich entschieden für Schönberg ein, er verschaffte ihm das Liszt-Stipendium des Allgemeinen Deutschen Musikvereins und eine Lehrstelle am Sternschen Konservatorium. Das Verhältnis dieser beiden ungleichartigen Künstlerpersönlichkeiten (ein größerer Gegensatz als zwischen dem bereits erfolgsgewohnten, souverän sich gebenden bayrischen Großbürger Strauss und dem jungen Musiker aus der Anonymität des Wiener Kleinbürgertums ist kaum zu denken) blieb in der Folge nicht ungetrübt, wie die Aussage Schönbergs, daß er alles, was er von Strauss je gelernt, gottlob mißverstanden habe und die Replik von Strauss, er hielte es für besser, wenn Schönberg Schnee schaufeln würde statt Notenpapier vollzukritzeln, mit provozierender Deutlichkeit belegen.

Am Anfang ihrer Beziehungen aber war Strauss der Gebende, nicht nur in beruflicher und finanzieller Hinsicht, sondern auch, indem er Schönberg auf den Stoff des Maeterlinck-Dramas «Pelleas und Melisande» aufmerksam machte. Statt der anfangs geplanten Oper komponierte Schönberg an Hand dieses Textes als op. 5 eine symphonische Dichtung, wobei es nicht ohne Reiz ist, zu wissen, daß gerade in diesem Jahr (1902) Claude Debussys «Pelléas et Mélisande» an der Pariser Opéra-Comique uraufgeführt wurde; ein Jahr zuvor hatte Gabriel Fauré eine Bühnenmusik auf ausgewählte Szenen dieses Maeterlinck-Stücks geschrieben, und 1905 erklang in Helsinki zum erstenmal eine symphonische Dichtung von Jean Sibelius (op. 46) nach der gleichen Textvorlage. Zu diesem Zeitpunkt kann man schon fast von einer Tradition symphonischer Dichtungen im Werk Schönbergs sprechen, die eine Notiz des Komponisten von 1950 zurückverfolgt: *Mahler und Strauss waren auf der musikalischen Szene erschienen, und ihr Kommen wirkte so faszinierend, daß jeder Musiker sofort, ob pro oder contra, eine Position bezog. Ich war damals dreiundzwanzig Jahre alt, leicht empfänglich und begann, in der Größe der von Mahler und Strauss gegebenen Vorbilder, symphonische Dichtungen in einem, nicht unterbrochenem Satz zu komponieren. Eine davon, die ich nicht vollendete, war «Hans im Glück» (Nach Grimm). Höhepunkte dieser Periode waren «Verklärte Nacht» und «Pelleas und Melisande».*[22]

Das Drama Maurice Maeterlincks berichtet, wie Golo, der älteste

19

«Der Überernst vom Brettl»: Ernst von Wolzogen.
Karikatur von G. Brandt im «Kladderadatsch», 1905

Das «offizielle» Wiener Musikleben: im Strauß-Konzert. 1896

Sohn des burgundischen Königs Arkel, im Wald die blonde Melisande findet, die er auf sein Schloß mitnimmt, um sie zu heiraten. Indessen bahnt sich eine Liebesverbindung seines jüngeren Bruders Pelleas zu dem Mädchen an, die Golo nicht verborgen bleibt. Während die beiden Brüder in die Kellergewölbe des Schlosses hinabsteigen, kämpft Golo mit dem Gedanken, den Jüngeren umzubringen. Noch hemmen ihn Zweifel, aber nach einer belauschten Liebesszene begeht er die Bluttat. Absolute Hoffnungslosigkeit herrscht in der Atmosphäre des Schlußaktes; die schwangere Melisande stirbt, während Golo, von Zweifeln und Reue gepeinigt, dem Wahnsinn verfällt.

In einer thematischen Analyse hat Alban Berg auf die innere Dialektik von Schönbergs Komposition aufmerksam gemacht; er zeigt, wie genau sich die musikalischen Motive aus der Textvorlage Maeterlincks entwickeln, während der formale Aufbau mit Einleitung, Sonatensatz, Scherzo, Überleitung und Reprise des Sonatensatzes deutlich der sinfonisch-instrumentalen Tradition verpflichtet bleibt.

In diesem Stück verwendet Schönberg an einer Stelle – entgegen den bislang in der abendländischen Harmonik üblichen Terzschichtungen – zum erstenmal Quartenakkorde, nicht um damit, nach dem Vorbild

Debussys oder Skrjabins, neue Klangvaleurs zu schaffen, sondern als Teil der harmonischen Konstruktion, ein Vorgang, der in der späteren Schönberg-Literatur als «feierlicher Moment in der Musikgeschichte»[23] gerühmt wurde. Das Wiener Premierenpublikum allerdings vermißte den Wohlklang und beklagte die Dauer des Werkes; das Stück fiel durch. «Das Wort von den himmlischen Längen traurig variierend, kann man bei dieser uferlosen Musik von einer höllischen Länge sprechen. Das ist der einzige positive Eindruck, den dieses Tonstück hinterläßt», schrieb der Kritiker der «Wiener Sonn- & Montagszeitung», um am Schluß seine Leser mit bissigem Understatement zu

22

fragen: «Aber ist es denn nicht nett von dem Komponisten, daß er nicht noch länger phantasiert?»[24] Einer in englischer Sprache geschriebenen Notiz des Komponisten aus dem Nachlaß ist zu entnehmen, wie sehr es Schönberg bedauerte, nicht den ursprünglichen Plan, aus diesem Stoff eine Oper zu komponieren, verwirklicht zu haben, zumal sie sich wesentlich von der Debussys unterschieden haben würde. Doch aus der Rückschau begreift er die Unterlassung zugleich als Gewinn: *Andererseits bedeutete die sinfonische Dichtung für mich eine Förderung, denn sie lehrte mich, Stimmungen und Charaktere in genaugeformten, musikalischen Einheiten auszudrücken, ein Verfahren, dem eine Oper vielleicht nicht so gut gedient hätte.*[25]

Als Zemlinsky dem Freund 1918 eine Kürzung in *Pelleas und Melisande* für die geplante Aufführung in Prag vorschlug, reagierte Schönberg auf dieses *Strichattentat* sehr empfindlich, obwohl er viele Teile der Partitur jetzt selbst als nur *mäßig kunstvoll* einschätzte: *Ich habe über Striche noch immer dieselbe Meinung wie früher. Ich bin dagegen, daß man die Mandeln operiert, obwohl ich weiß, daß man sogar ohne Arme, Beine, Nase, Augen, Zunge, Ohren etc. immerhin noch irgendwie leben kann. Ich bin der Meinung, daß dieses noch Lebenkönnen nicht unter allen Umständen so wichtig ist, als daß man an dem Programm des Schöpfers etwas ändern sollte, der uns bei der großen Rationierung so- und soviele Arme, Beine, Ohren und sonstige Organe zugewiesen hat. Und ich meine auch, daß ein Werk ja nicht unbedingt leben, d. h. aufgeführt werden muß, aber nicht der, wenn auch häßlichen oder mangelhaften Teile verlustig werden sollte, mit denen es beim Entstehen ausgestattet war . . . Jedenfalls kann der Zuhörer, dem mein Werk oder ein Teil davon entbehrlich scheint, von seiner günstigeren Situation Gebrauch machen und mich a l s G a n z e s als entbehrlich behandeln.*[26]

IN DER WIENER AVANTGARDE

Im Juli 1903 verließ Schönberg Berlin und kehrte mit seiner Frau und der einjährigen Tochter Gertrud nach Wien zurück.

In diesem Jahr malte Gustav Klimt die «Jurisprudenz», das letzte der vier skandalisierten Deckenbilder für die Aula der Wiener Universität, Josef Hoffmann und Kolo Moser gründeten «gegen alle Surrogate stilvoller Imitation» die Wiener Werkstätte, Hugo von Hofmannsthal schrieb in der Auseinandersetzung mit dem Hamlet-Problem die «Elektra», und die «Fackel» von Karl Kraus erschien bereits im vierten Jahrgang. Wien war, wie Kraus diagnostiziert hatte, zur Versuchsanstalt für den Weltuntergang geworden; vom herrschenden Kulturbetrieb verlacht oder totgeschwiegen, ereigneten sich in den Schichten des Inoffiziellen jene berühmtgewordenen Revolutionen, die den Rahmen eines traditionellen Kunst-Begriffs sprengten. Mit erstaunlich sicherem Blick für die Aktualitäten von morgen, dabei oft weit leidenschaftlicher als sorgfältig, haben Ludwig Hevesi, Hermann Bahr und Paul Stefan als Chronisten dieser Jahre die Eruptionen und Skandale registriert. Heutigen Rückblicken auf diese Ereignisse in Wien vor dem Ersten Weltkrieg droht die Gefahr, daß Aktivitäten, Programme, Gruppen und Namen unversehens zu mythosverdächtigen Topoi gerinnen; die Tagesberühmtheiten des Offiziellen sind nachhaltig vergessen, und die Suchenden und Rebellierenden von damals werden zu Klassikern der Moderne konditioniert, wobei eine sorgsam kodifizierte Namenskette, in die man auch Schönberg einzureihen pflegt, Genieverbrüderung stiftet. Die Basis, die in ihrem Naturell so grundverschiedene Künstler wie Adolf Loos, Gustav Mahler, Oskar Kokoschka, Peter Altenberg, Egon Schiele, Albert Paris Gütersloh, Richard Gerstl oder Karl Kraus mit Schönberg einte, war die Kritik an den eingeschliffenen Formen des Kunstbetriebs und einer Lebensform, die auf den *Komfort als Weltanschauung* [27] zu regredieren drohte. Eine Form von Verbundenheit unter diesen Künstlern entstand allein aus dem Bewußtsein gemeinsamer Opposition, während ihre Positionen nicht durch ein gemeinsames theoretisches Programm zu umgrenzen gewesen wären. Die knappen Sätze eines Interviews, das Oskar Kokoschka 1965 der BBC über sein Verhältnis zu Schönberg gab, lassen noch deutlich die Symptome ihrer Isolation erkennen: «Musik war sein ganzes Leben, und das verstand ich, denn Malerei war mein Leben. Weder er noch ich konnten über andere Dinge sprechen. Er sprach nur über das, was ihn betraf. Da sagte ich, daß ich ihn malen wolle . . .» [28]

Die einzige dauerhafte Verbindung zu einem Künstler aus diesem Kreis bahnt sich 1905 zu dem Architekten und Stiltheoretiker Adolf Loos an, dessen ästhetische Anschauungen sich in der radikalen Absage sowohl an den Historismus als auch an den Jugendstil der Secession entfalteten und die — zumindest mittelbar — auch in die kompositorischen Neuerungen Schönbergs eingingen, der durch das Bemühen um Konstruktion, Ausdruck und Konzentration das musikalische Ornament ausmerzen wollte. Die Kritik des Ornaments bedeutet für beide Künstler einen Kampf gegen heruntergekommene Stilformen, die ihren funktionalen und symbolischen Sinn längst eingebüßt hatten, in denen sich das Dekor nicht länger aus der Organisation des Ganzen entwickelte, sondern appliziert wurde, um mit dem Schein von Einheitlichkeit die Brüche in der Konstruktion zu überdecken. Eine vergleichende Analyse von Loos' Aufsatz «ornament und verbrechen»

Oscar Straus

(1908) und den kunsttheoretischen Passagen der *Harmonielehre* (1911) ist noch Desiderat der Forschung; sie könnte die Einwirkungen dieser grandiosen Polemik auf Schönbergs Ästhetik zeigen und aufdekken, wie eng beide Denker die Frage nach der künstlerischen Form mit Vorstellungen von Wahrheit und Moral verknüpfen. Das Postulat Schönbergs, *Musik soll nicht schmücken, sie soll wahr sein*, reflektiert die von Loos vertretene Erkenntnis, daß «ornamentlosigkeit ein zeichen geistiger kraft»[29] bedeute.

Ihre Freundschaft, die bis zum Tod von Loos im Sommer 1933 anhält, ist bestimmt durch interessierte Teilnahme an der gegenseitigen Arbeit. Anläßlich von Schönberg-Konzerten las Loos zuweilen aus eigenen Prosaskizzen vor, und Schönberg bat den Freund, die

Adolf Loos

(Druck-) Ausstattung für die *Jakobsleiter* zu übernehmen. Er bat auch Thomas Mann, sich einem Aufruf anzuschließen, der die Lehrtätigkeit des Architekten in einer «Loos-Schule» forderte (1930):

> *Sehr geehrter Herr,*
> *ich habe leider nicht die Ehre, Sie persönlich zu kennen. Wenn ich mich trotzdem mit der Bitte an Sie wende, den beiliegenden Aufruf zu unterzeichnen, so geschieht das, weil ich weiß, daß es der heißeste Wunsch Adolf Loos' ist, daß sechs bis sieben der Besten von heute durch diesen Aufruf sich einsetzen für ihn, für die Erfüllung seiner Sehnsucht: lehren zu dürfen.*[30]

Nach Lektüre der gedruckten Aufsätze des Architekten, die Schönberg seinem Brief beigefügt hatte, urteilte Thomas Mann: «Ein starker, freier, bedeutender Kopf, ohne Zweifel!»[31]

Als Schönberg während eines Aufenthalts in Prag das Haus Müller, den letzten großen Bau seines Freundes sieht, schreibt er nach Wien: *Aber in Prag habe ich doch, obwohl bereits fiebernd, Dein Haus gesehen. Und obwohl ich die Hände voll Arbeit habe, muß ich Dir in Eile sagen: Herrlich!! Ich habe nie etwas Schöneres gesehen in der Baukunst aller Zeiten! Kein Fürst kann schöner wohnen![32]* Und 1931 aus Barcelona: *Ich denke oft und viel an Dich, nicht zuletzt, weil ich immer den Wunsch habe, in einem Loos-Haus zu wohnen: wenn ich nur Geld hätte...[33]* Schönbergs Fähigkeit, zu verachten oder zu loben, war beträchtlich – *Mittlere Empfindungen gibt es nicht bei mir, entweder – oder![34]* –, und die überaus enthusiastische Diktion des Prager Briefes an Loos verdeutlicht ebenso wie ein Telegramm zu dessen 60. Geburtstag seine *heiße Bewunderung*[35], die er für den Freund empfand: *... nicht bald wird man einen Großen wie Dich Adolf Loos finden![36]*

Ein *Ganz-Großer*[37], ein *Heiliger*[38] war für ihn Gustav Mahler, *ich glaube fest und unerschütterlich daran, daß Gustav Mahler einer der größten Menschen und Künstler war*[39], sagte er in seiner berühmtgewordenen Apotheose des Komponisten, der Prager Rede von 1913. Der Weg zu diesem Bekenntnis verlief nicht gradlinig; die ersten Symphonien Mahlers, die der junge Schönberg, der glühende Brahms-Anhänger, hörte, stießen ihn ab. Die Aufforderung seiner Freunde, mit ihnen eine Aufführung der aufsehenerregenden 4. Symphonie durch die Philharmoniker zu besuchen, wies mit dem Argument zurück, daß Mahler in seiner ersten doch schon nichts geboten habe; warum sollte er jetzt, von der vierten, mehr erwarten?

Der Weg zum Verständnis Mahlers öffnete sich nur zögernd, zunächst durch die Bewunderung der Aufführungspraxis des Direktors und Dirigenten der k. u. k. Hofoper. Als Arnold Rosé, der Schwiegersohn Mahlers, Konzertmeister der Philharmoniker und Primarius des nach ihm benannten Quartetts, in einem Nebenraum der Oper mit den Solisten seines Ensembles für die Uraufführung der *Verklärten Nacht* probte, kam es zur ersten persönlichen Begegnung zwischen Mahler und Schönberg (1903), die auf beiden Seiten ihren Eindruck nicht verfehlte; zusammen mit Zemlinsky war Schönberg bald ein häufiger Gast im Haus Mahlers. An die Stelle der anfänglichen Ablehnung trat nun «eine seltsame Haß-Liebe» (Dika Newlin)[40], die aus der unbewußten Auflehnung Schönbergs gegen den durchgreifenden Einfluß Mahlers erklärt worden ist. Alma Mahler-Werfel berichtet in ihren Erinnerungen von den lebhaften Diskussionen der drei Komponisten, wobei

Gustav Mahler. Wien, 1907

Mahler die beiden jungen Gesprächspartner, die er scherzhaft «Eisele und Beisele» nannte, mit skeptischer Sympathie betrachtete. Zuweilen endeten die Gespräche mit wochenlangen Zerwürfnissen, weil Schönbergs hitzköpfige Kompromißlosigkeit oft den wohltemperierten Rahmen eines Salongesprächs sprengte. In seiner kleinen Wiener Stadtwohnung litt Schönberg sehr unter dem ständigen Geläut der benachbarten Kirchen, und als er einmal in Mahlers Gegenwart seinem Ärger darüber Luft machte, replizierte dieser kurz und sehr von oben herab:

«Das macht nichts, nehmen Sie doch die Glocken in Ihre nächste Symphonie!»[41]

Diese bezeichnende Anekdote fand noch eine Ergänzung, als längere Zeit später Mahler sich über das Stelldichein der Singvögel in der Nachbarschaft seines Komponierhäuschens am Attersee beklagte, und Schönberg sich mit dem gleichlautenden, nicht vergessenen «Ratschlag» von damals revanchieren konnte. Beide Komponisten haben übrigens durchaus orchesterfremde Geräuschquellen in den symphonischen Klangapparat einbezogen, wie Mahlers Verwendung von Kuhglocken in der 6. Symphonie und das Geklirr schwerer Eisenketten in Schönbergs *Gurreliedern* zeigen.

Während dieser Unterhaltungen konkretisierte sich der Plan für ein neues musikalisches Forum, für eine Plattform, die ihre Zielsetzung im wesentlichen aus der Reaktion gegen den etablierten Konzertbetrieb gewann, in dessen sakrosankte Repertoires zeitgenössische Werke nur selten und mit offensichtlichem Widerwillen aufgenommen wurden. In der Gründung eines «Vereins der schaffenden Tonkünstler» sahen Schönberg und Zemlinsky die Möglichkeit, «das unmittelbare Verhältnis zwischen sich und dem Publikum zu schaffen, der Musik der Gegenwart in Wien eine ständige Pflegestätte zu bereiten und das Publikum in fortlaufender Kenntnis über den jeweiligen Stand des musikalischen Schaffens zu halten»[42]. So der Text des Gründungszirkulars, das neben der programmatischen Fixierung ihres Vorhabens in einigen Abschnitten auch die kritischen Positionen Schönbergs und Zemlinskys verdeutlichte:

«Im musikalischen Leben Wiens finden die Werke zeitgenössischer Komponisten, insbesondere der Wiener, nur sehr geringe Berücksichtigung. Neue Werke kommen in Wien erst zu Gehör, nachdem sie die Runde durch alle die zahlreichen großen und kleineren musiktreibenden Städte Deutschlands gemacht haben und werden dann gewöhnlich mit wenig Interesse, ja mit Widerwillen aufgenommen. Diese Erscheinung steht in krassem Widerspruche zu Wiens tonangebender musikalischer Vergangenheit und wird meistens erklärt durch eine anscheinend unüberwindliche Abneigung des Publikums gegen Novitäten. Wien sei kein Boden für Novitäten, heißt es, und die Leute, die das behaupten, scheinen auf den ersten Anschein Recht zu haben, wenn man von der Operette absieht, auf deren Gebiet unsere Stadt zweifellos tonangebend ist ...

Aller Fortschritt, alle Entwicklung führt vom Einfachen zum Komplizierten, und gerade die jüngste Entwicklung in der Musik vergrößert noch all die Schwierigkeiten und Hindernisse, durch ihre vermehrte Kompliziertheit, durch ihre melodische und harmonische Konzentriertheit, und es bedarf zahlreicher wiederholter, erstklassiger Aufführungen, sollen diese vergrößerten und vermehrten Hindernisse der Aufnahmsfähigkeit und Aufnahmswilligkeit überwunden werden, Aufführungen, welche eine außerordentlich genaue und streng in den Intentionen des Komponisten gehaltene Vorbereitung erheischen.»[43]

Mit der Bemühung um eine Neuorganisation des künstlerischen Schaffens, mit dem Wunsch, durch eine Änderung der Formen von Vermittlung zugleich auch eine Änderung der Kunst anzustreben, stand in Wien der Schönberg-Kreis nicht allein. Viele der programmatischen und kritischen Passagen aus dem Zirkular der «Schaffenden Tonkünstler» müssen in unmittelbarem Zusammenhang mit gleichlautenden Bestrebungen in der Bildenden Kunst gesehen werden, als deren Resultat die Wiener «Secession» 1898 sich formierte. Gustav Klimt, Rudolf Alt, Josef Hoffmann, Kolo Moser, Joseph Maria Olbrich und andere errichteten sich mit dem Secessionsgebäude am Naschmarkt eine eigene, von Händlerinteressen unabhängige Ausstellungsmöglichkeit und schufen im «Ver Sacrum» ein publizistisches Organ, in das neben epochemachendem Buchschmuck und hervorragender Typographie auch die richtungweisenden theoretischen Postulate dieser Gruppe aufgenommen wurden. Man wollte nicht um die Durchsetzung einer neuen Stilrichtung kämpfen, sondern um Verwirklichung eines neuen Begriffs von Kunst, «daß es Künstler wagen, ihre eigene Sprache zu sprechen»[44]. «Bei uns wird um die Kunst selbst gestritten, um das Recht, künstlerisch zu schaffen», formulierte Hermann Bahr[45], und in Heft 22 des «Ver Sacrum»-Jahrgangs 1900 zog Alfred Roller eine Bilanz, deren Ergebnis die sehr ähnlichen Vorstellungen Schönbergs im Bereich der Musikkultur antizipierte:

«Die Secession kommt den Leuten nicht mehr secessionistisch vor, das heißt, die Moderne hat in Wien aufgehört, Mode zu sein, der gelangweilte Pöbel der verschiedenen Gesellschaftsschichten hat andere Spielzeuge gefunden. Und das ist ein großes, wohltuendes Glück für uns. Wird das fortab ein Vergnügen sein, wenn wir, unbehelligt von dem gleich verletzenden Lob wie Tadel der Allzuvielen, mit unseren ernsten Freunden allein gelassen, unserer Arbeitsfreude freie Zügel werden geben können! Die secession ist in Wien keine Hetz mehr, umsobesser für ihren Ernst.»[46]

Eine Begründung für die enge Verknüpfung von Ideen der «Secession» und dem «Verein schaffender Tonkünstler» kann in der Person Gustav Mahlers gefunden werden, der 1902 anläßlich der Ausstellung von Max Klingers Beethoven-Plastik in den Räumen der «Secession» mit der Betreuung des musikalischen Teils und der Komposition einer Ausstellungsmusik die Idee des Gesamtkunstwerks zu realisieren half. Daraus ergab sich, daß Mahler den damaligen Präsidenten der Künstlergruppe, Alfred Roller, für eine Neueinstudierung von «Tristan und

Isolde» gewinnen konnte, eine Verbindung, die bis zu seiner Trennung von der Hofoper im Winter 1907 andauerte.

Mahler willigte auch ein, für Schönbergs «Verein der schaffenden Tonkünstler» den Ehrenvorsitz zu übernehmen und einige Aufführungen selbst zu dirigieren. Trotz ihrer kurzlebigen Existenz – die Vereinigung konnte sich nur während der Saison 1904/05 behaupten – wurden exemplarische Werke der Moderne zum erstenmal in Wien aufgeführt, so die «Sinfonia domestica» von Richard Strauss; es erklangen Mahlers «Kindertotenlieder» und die «Lieder aus Des Knaben Wunderhorn» unter der Leitung des Komponisten. Am 6. Januar 1905 konnte Schönberg in diesem Kreis die Uraufführung von *Pelleas und Melisande* verwirklichen.

Seit der Rückkehr aus Berlin entstanden neue Kompositionen nur stockend und in großen Abständen, zunächst als op. 6 *Acht Lieder für eine Singstimme und Klavier*. Neben den kurzen, anspruchslosen Versen aus der neudeutschen Schule von Dehmel, Conradi und Mackay mit ihrer vordergründigen Liebes- und Sehnsuchtsthematik finden sich in diesem Zyklus auch Nietzsches berühmter «Wanderer» und eine kunstvoll stilisierte «Ghasel» von Keller, deren motivische Verschachtelung Schönbergs Komposition subtil nachvollzieht.

Mit dem op. 8 faßt Schönberg *Drei Orchesterlieder* nach Texten von Julius Hart, Francesco Petrarca und aus «Des Knaben Wunderhorn» zusammen. Auf die zu Beginn des 19. Jahrhunderts von Arnim und Brentano herausgegebenen «Lieder im Volkston» dürfte ihn Gustav Mahler aufmerksam gemacht haben, wie überhaupt eine auffällige Übereinstimmung beider Komponisten in der Wahl ihrer Versvorlagen (Nietzsche, Dehmel, Mackay u. a.) zu registrieren ist. Hans Mayer hat im Hinblick auf Mahler auf das höchst unterschiedliche Niveau der vertonten Texte hingewiesen und dessen Verhältnis zur Literatur als «baren Eklektizismus»[47] kritisiert, der aus einer Mischung von höchster Geistigkeit und naiver Utilität alles verbinde, was der Identifikation zu dienen scheint. Ohne große Einschränkungen lassen sich diese Aussagen auch auf das naiv-unproblematische Verhältnis des frühen Schönberg zu seinen Texten übertragen, wobei nicht übersehen werden soll, was Adornos entschiedener Einspruch gegen Mayers Analyse geltend macht, daß «die Musik auf die ihr allein mögliche Weise, nämlich die der Formkonstruktion, den Stilbruch bewältigt»[48] und die bedeutendsten Liedwerke keineswegs stets die gewesen seien, welche die besten Texte sich aussuchten, weil sich deren Autonomie vielfach der Auflösung in Musik widersetze. Jenseits der offiziellen Wertkategorien für Lyrik haben Mahler und Schönberg die ausgewählten Verse als «Vehikel ihrer Komposition»[49] (Adorno) begriffen, wobei im Fall Schönbergs der Spontaneität eine entscheidende Rolle beizumessen

Arnold Schönberg

ist: *Ich persönlich gehöre zu denen, die im allgemeinen sehr schnell komponieren ... Ein Lied für Gesang und Klavier etwa nahm eine bis drei Stunden in Anspruch – drei Stunden, wenn man unglücklicherweise ein langes Gedicht zu vertonen hat.*[50]

Im Licht dieser Selbstaussage kann es verwunderlich scheinen, daß die Komposition der *Gurrelieder* von der ersten Skizze bis zum Abschluß der Partitur elf Jahre in Anspruch nahm, doch ist diese erstaunliche Spanne auf die ungünstigen materiellen Umstände zurückzuführen, in denen Schönberg damals leben mußte und die ihn immer wieder zwangen, die Arbeit an dem Werk zu unterbrechen.

Schönberg hat den Text für die *Gurrelieder* der Novelle «En cactus springer ud» des Dänen Jens Peter Jacobsen (1847–85) entnommen, die die Rahmenhandlung für eine Sammlung von Gedichten und Kurzgeschichten abgibt. Im Haus eines Kriegsrats warten fünf junge Männer in Gegenwart der schönen Tochter auf das nächtliche Aufblühen einer seltenen Kaktusblüte, und um sich die Zeit zu vertreiben, lesen sie dem Mädchen und ihrem Vater aus ihren neuesten Manuskripten vor. In einer dieser Episoden wird die Geschichte von Gurre erzählt, die auf der mittelalterlichen Legende des Dänenkönigs Waldemar IV. Atterdag und seiner heimlichen Liebe zu einem Mädchen namens Tove Lille (kleine Taube) beruht. Aus Eifersucht soll Königin Helvig schließlich den Tod des Mädchens herbeigeführt haben. Der Kern der Sage, der auf historischen Personen und Ereignissen der dänischen Geschichte beruht, wurde im Laufe der Jahrhunderte mit anderen Teilen des jütländischen und seeländischen Mythos verbunden zu der umfassenden Form eines dänischen Nationalepos, vergleichbar dem «Nibelungenlied». Im 19. Jahrhundert wurde die Legende zum beliebten Vorwurf für zahlreiche Historiengedichte. Die erste deutsche Ausgabe von Jacobsens Version erschien 1899 in Leipzig in einer Übersetzung des Wiener Philologen und Kritikers Robert Franz Arnold, und Schönberg komponierte gleich nach dem Erscheinen eine Auswahl von Gedichten für Gesang und Klavier, die er als Liederzyklus bei einem Kompositionswettbewerb des «Tonkünstler-Vereins» einreichte. Bald weitete sich der Plan in die Dimensionen eines Oratoriums in drei Teilen mit einem Nachspiel aus, wobei zahlreiche Eingriffe des Komponisten in die ursprüngliche Textvorlage anzumerken sind. Die *Gurrelieder* wurden ohne Opuszahl veröffentlicht, in der Werkchronologie ist ihre Entstehung zwischen dem Streichsextett *Verklärte Nacht* und der symphonischen Dichtung *Pelleas und Melisande* anzusetzen. Im März 1901 war die Komposition beendet, und in den darauffolgenden Jahren arbeitete Schönberg an der Instrumentation, die, immer wieder unterbrochen, erst 1911 abgeschlossen werden konnte. Zur Entstehungsgeschichte und zur Problematik einer sich so lange hinauszögernden Produktion schrieb Schönberg:

Die ganze Komposition war also, ich glaube, im April oder Mai 1901 vollendet. Bloß der Schlußchor stand nur in einer Skizze da, in der allerdings die wichtigsten Stimmen und die ganze Form bereits vollständig vorhanden waren. Instrumentationsanmerkungen waren in der ursprünglichen Komposition nur ganz wenige notiert. Ich notierte damals derartiges nicht, weil man sich ja den Klang merkt. Aber auch abgesehen davon: Man muß es ja sehen, daß der 1910 und 1911 instru-

33

mentierte Teil im Instrumentationsstil ganz anders ist, als der I. und II. Teil. Ich hatte nicht die Absicht, das zu verbergen. Im Gegenteil, es ist selbstverständlich, daß ich zehn Jahre später anders instrumentierte. Bei der Fertigstellung der Partitur habe ich nur wenige Stellen überarbeitet . . . Alles übrige ist (selbst manches, das ich gerne anders gehabt hätte) so geblieben, wie es damals war. Ich hätte den Stil nicht mehr getroffen, und ein halbwegs geübter Kenner müßte die 4–5 korrigierten Stellen ohneweiteres finden können. Diese Korrekturen haben mir mehr Mühe gemacht als seinerzeit die ganze Komposition.[51]

Da alle Möglichkeiten einer Aufführung verschlossen schienen, unternahm Schönberg den Versuch, den ersten Teil des Werks mit Klavierbegleitung in einem kleinen Saal der Öffentlichkeit vorzustellen, um es einem Kreis von Anhängern zugänglich zu machen. 1912 forderte Anton von Webern in der Wiener Presse, es sei «die allergrößte Pflicht der in Betracht Kommenden, diesem Werke zu einer würdigen Aufführung zu verhelfen»[52], und im gleichen Jahr zeigte ein Flugblatt, das von der Vereinsleitung des Wiener Philharmonischen Chors herausgegeben worden war, die nahe Verwirklichung des Projekts an:

Der Philharmonische Chor veranstaltet zu
Beginn der Saison 1912/13 eine Aufführung der
Gurrelieder
von
Arnold Schönberg

Das vor zirka 15 Jahren entstandene Werk des Komponisten erfordert einen Chorkörper von 600 Personen, 6 Solisten, einen Rezitator und ein Orchester von 150 Mann. Der Philharmonische Chor hält es für seine Pflicht, dem Hauptwerke des vielumstrittenen Autors endlich zu einer Aufführung zu verhelfen. Er kann dies aber nur dann tun, wenn sich eine Anzahl kunstsinniger Persönlichkeiten bereit erklärt, einem Komitee beizutreten, das die Gewähr bietet, den Großen Musikvereins-Saal mit z a h l e n d e n Besuchern zu füllen.

Wir bitten Euer Hochwohlgeboren, diesem Komitee beizutreten und sich auf beiliegendem Scheine zur Abnahme einer bestimmten Anzahl von Karten zu verpflichten oder für den Garantiefond zu zeichnen.

Die Vereinsleitung.[53]

Während der Dekade der Entstehungszeit der *Gurrelieder* zeigen Schönbergs Werke die Abkehr von traditionell tonalen Mustern, die entscheidende Hinwendung zur frei tonalen Komposition. Die *Gurrelieder* allerdings sind noch weitgehend mit den Sprachmitteln der romantischen Tradition geschrieben, in einem sich auf Richard Wagner berufenden Geist, der in dem Frühwerk von Richard Strauss eine Parallele hat und durch breit dahinströmende Melodien, volle Akkorde und weit ausschwingende Rhythmik charakterisiert ist. Wagner war das bewunderte Vorbild, und nach eigenem Zeugnis hat Schönberg bis zu Beginn dieser Komposition alle Wagner-Opern fünfundzwanzig- bis dreißigmal gehört, wobei er sich immer wieder auf das Ausfindig-machen sogenannter verborgener Melodien konzentrierte, auf ein Hör-verfahren also, dessen ausgeprägt analytischer Zug zugleich wachsende Bedeutung für Schönbergs Kompositionstechnik gewann.

Für die *Gurrelieder* ist eine Orchesterbesetzung gefordert, die an Stärke der einzelnen Instrumentengruppen alle Partituren übertrifft, die vor oder nach diesem Werk geschrieben wurden. Das Aufgebot umfaßt 8 Flöten, 5 Oboen, 7 Klarinetten, 3 Fagotte, 2 Kontrafagotte, 10 Hörner, 7 Trompeten, 7 Posaunen, Kontrabaßtuba, 4 Harfen, Celesta, zahlreiches Schlagzeug, darunter 6 Pauken und «schwere Eisen-ketten» und über 80 Streicher; dazu 5 Solostimmen (Sopran, Mezzoso-pran, zwei Tenöre und Baß), einen Sprecher, drei vierstimmige Männerchöre und einen achtstimmig gemischten Chor.

Dieser gewaltige Klangapparat aber diente nun nicht allein nur dazu, das Fortissimo des Orchesters ins Gigantische zu steigern, wie es das orkanartige Crescendo im dritten Teil zeigt; aus der Fülle der Mittel werden neue Klangkombinationen gewonnen, wie die zart-durch-scheinenden Gewebe der Piccolos und Flöten in den Waldtaubenrufen. Neu in der musikalischen Literatur ist die Einfügung des gesprochenen Worts in die Komposition, mit genau fixiertem Rhythmus und angegebener Tonhöhe für den Sprecher. Diese eigentümliche Variation einer melodramatischen Form ist von Schönberg 1912 im *Pierrot lunaire* wieder aufgegriffen worden.

Die Uraufführung durch das Tonkünstler-Orchester unter der Leitung von Franz Schreker im Wiener Großen Musikvereinssaal war ein bedeutender Erfolg. Das bei Schönberg-Premieren auf Sensationen, Hetz und Skandale wartende Publikum nahm die «in Stolz und Pracht aufflammende Tonsprache eines Künstlers, den Wagner das Reden gelehrt hat» (Richard Specht, 1913)[54], mit Beifallsstürmen auf. Es bleibt zu fragen, ob viele der Zuhörer neben dem Wagnerschen Idiom auch die neuen, zukunftsweisenden Ansätze in der Partitur ausgemacht haben. Jenen Kritikern, die in dem Werk nur Epigonentum und «solideste deutsche Nachwagnerei»[55] sahen, hielt Adolf Loos energisch entgegen: «In diesem ersten Werk ist für den, der Ohren hat zu hören und Augen hat zu sehen, das ganze Lebenswerk des Künstlers enthalten. Die Krokodile sehen einen menschlichen Embryo und sagen: Es ist ein Krokodil. Die Menschen sehen denselben Embryo und sagen: Es ist ein Mensch. Von den *Gurreliedern* sagen die Krokodile, es wäre Richard Wagner. Aber die Menschen fühlen nach den ersten drei Takten das unerhört Neue und sagen: Das ist Arnold Schönberg! Nie war es anders. Diesem Mißverständnis war das Leben eines jeden Künstlers unterworfen. Sein Eigenes blieb den Zeitgenossen unbekannt.»[56]

Mit den beiden folgenden Werken, dem *Streichquartett* op. 7 und der *Kammersymphonie* op. 9, hat Schönberg nach eigener Aussage den Höhepunkt seiner ersten Entwicklung erreicht, nach den symphonischen Großformen in den *Gurreliedern* und in *Pelleas und Melisande* setzen Reduktionstendenzen ein, die ihn wieder auf das Gebiet der Kammermusik führen. Vor dem entscheidenden Schritt zum Übergang der Atonalität werden alle Möglichkeiten des tonalen Materials noch einmal zusammengefaßt.

Im Sommer 1905 konnte in Gmunden am Traunsee das *I. Quartett in d-Moll* abgeschlossen werden. *Auf meinen üblichen Morgenspaziergängen komponierte ich 40–60 Takte im Kopf fast bis auf jede Einzelheit. Ich brauchte nur 2–3 Stunden, um diese großen Abschnitte aus dem Gedächtnis niederzuschreiben ... die selbst ein schneller Notenschreiber nicht in kürzerer Zeit kopieren könnte, als ich brauchte, um sie zu komponieren.*[57] Die einzelnen Satzformen des klassischen Quartetts wurden zu einem einzigen Satz verschmolzen, dessen Mitte eine großangelegte Durchführung einnimmt: *In Übereinstimmung mit den Tendenzen der Zeit sollte die Großform alle vier Charaktere des Sonatentypus in einem, nicht unterbrochenen Satz aufnehmen. Durchführungen sollten nicht fehlen und ein gewisser Grad von thematischer Einheit sollte zwischen den kontrastierenden Teilen herrschen.*[58] In Schönbergs subtiler Themenverarbeitung, die er hier leicht untertreibend *einen gewissen Grad thematischer Einheit* nennt, hat Anton von Webern einen bislang unerreichten Höhepunkt von Kompositionstechnik gesehen: «Wunderbar ist, wie Schönberg aus einem Motivteilchen eine Bewegungsfigur bildet, wie er die Themen einführt, wie er die Verbindungen der einzelnen Hauptteile gestaltet. Und alles thematisch! Es gibt sozusagen keine Note in diesem Werk, die nicht thematisch wird. Diese Tatsache ist beispiellos.»[59]

Das Klangspektrum wird ergänzt durch Raffinements, die aus dem modernen Orchester gewonnen sind, Techniken wie «con sordino», Flageoletts und «col legno». Während der Komposition an dem Quartett orientierte sich Schönberg, nach dem Vorbild von Brahms, dem nachgesagt wurde, er habe immer ein Werk von Bach und eines von Beethoven neben seinem Stehpult aufbewahrt, an den strengen Formen eines klassischen Modells, dem ersten Satz von Beethovens Dritter Symphonie. *Aus der Eroica lernte ich die Lösungen meiner Probleme:*

wie Monotonie und Leerlauf zu vermeiden seien, wie die Vielfalt der Einheitlichkeit entspringt und neue Formen aus dem Grundmaterial gestaltet werden, wieviel aus scheinbar unbedeutenden Teilchen durch leichte Modifizierung und entwickelte Variation zu gewinnen ist.[60]

Zwölf Proben benötigte das Rosé-Quartett für die Einstudierung des Werkes, das am 5. Januar 1907 im Bösendorfer Saal uraufgeführt wurde. Das Publikum reagierte darauf mit einem tumultarischen Skandal, in den auch der Hofoperndirektor Mahler verwickelt wurde. Paul Stefan, der Chronist des frühen Schönberg-Kreises, berichtet darüber: «Als auch nachher noch vernehmlich gezischt wurde, ging Gustav Mahler, der unter dieser Hörerschaft saß, auf einen der Unzufriedenen los und sagte in seiner wunderbar tätigen Ergriffenheit und gleichsam für die entrechtete Kunst aufflammend: Sie haben nicht zu zischen! Der Unbekannte, stolz vor Königen des Geistes (vor seinem Hausmeister wäre er zusammengebrochen): Ich zische auch bei Ihren Symphonien. Die Szene wurde Mahlern sehr verübelt.»[61] Obwohl Mahler zuweilen gestanden hatte, daß er dem Jüngeren nicht überallhin zu folgen vermöge, war diese Kundgebung inmitten eines aufgebrachten Publikums eine überzeugende Geste der Solidarität mit Schönberg. Die zweite Aufführung des Werkes im gleichen Jahr auf dem 33. Tonkünstlerfest in Dresden mußte wieder vom Rosé-Quartett übernommen werden, weil das dortige Petri-Quartett die Partitur als unspielbar zurückgewiesen hatte; erneut waren tumultarische Szenen im Publikum zu registrieren.

Die erbitterte Gegnerschaft der Zuhörer und die jeder Schönberg-Premiere folgenden Diffamierungen in der Presse sind nicht so sehr der konservativen Haltung eines jede kompositorische Neuerung befeindenden Publikums anzulasten als vielmehr dem offensichtlichen Widerspruch zwischen Schönbergs avancierten Kunstformen und dem allgemeinen musikalischen Bewußtsein jener Jahre. Mit Wutausbrüchen reagierte man auf das nicht mehr Verstandene, das dem Identifikationsbedürfnis keine Chance einzuräumen schien; eine Musik, die nicht länger Antagonismen in Harmonie verklärte und mit geschlossenen Augen konsumiert werden konnte, erntete Hohn und Abscheu.

Schönberg, der damals unbeirrt und ohne Seitenblick auf die Rezeptionsmöglichkeiten seines Publikums komponierte, hat fast vierzig Jahre später sein Verständnis für die heftige Opposition bei der Uraufführung des *d-Moll-Quartetts* bekundet. In einer kurzen Analyse deckt er mit den Neuerungen der Komposition zugleich auch die Schwierigkeiten für den Hörer auf: *Zunächst die ungewöhnliche Länge des Werks. Es ist in einem einzigen, langen Satz komponiert, ohne die herkömmlichen Unterbrechungen nach jedem Satz. Beeinflußt durch Beethovens cis-Moll Quartett, durch Liszts Klaviersonate, durch die*

Symphonien Bruckners und Mahlers, glaubten wir jungen Komponisten damals, hier den künstlerischen Weg der Komposition gefunden zu haben. Dann war es die reiche und ungewöhnliche Anwendung der Harmonik, die in Verbindung mit dem Aufbau der Melodien dem Verständnis zuwiderlief. Es war und ist noch meine Überzeugung, daß die schnelle und teilweise neue Folge der Harmonien nicht eine unverbundene Zufügung zur Melodie sein sollte, sondern vielmehr durch sich selbst die Melodie hervorzubringen habe, als Ergebnis, Reaktion oder Folge aus der wirklichen Natur der Melodie, so daß die vertikale Ausdrucksform der Harmonik inhaltlich mit der horizontalen der Melodik übereinstimmt. Es dauerte fast zwanzig Jahre, bis Musiker und Musikliebhaber in der Lage waren, einem derart komplizierten musikalischen Ausdrucksstil zu folgen.[62] In den zwanziger Jahren wählte Alban Berg die ersten zehn Takte des *d-Moll-Quartetts*, um in einem ausführlichen Aufsatz unter dem Titel «Warum ist Schönbergs Musik so schwer verständlich?» den Nachweis anzutreten, «daß es in dieser Musik, trotzdem vieles darin als ganz besonders schwer verständlich empfunden wird, immer mit rechten Dingen zugeht; freilich mit den rechten, nur an höchster Kunst erprobbaren Dingen!»[63].

Schon in der Partitur von *Pelleas und Melisande* treten, noch ganz isoliert und *als Ausdruck einer Stimmung, deren Besonderheit mich wider Willen ein mir neues Ausdrucksmittel finden ließ*[64], erstmalig im Werk Schönbergs Quartenakkorde auf. In der *Kammersymphonie* op. 9 werden diese Quartenharmonien und aus Quartenfolgen gebildete melodische Phrasen dann konstitutiv für das ganze Werk und erschüttern zusammen mit den Ganztonakkorden die tonalen Grundlagen des noch in E-Dur notierten Werkes. Schönberg gibt an, daß er Quartenakkorde in der *Kammersymphonie* verwandte, ohne sich an die entsprechende Stelle in *Pelleas und Melisande* zu erinnern und ohne Debussys, Skrjabins oder Dukas' Musik inzwischen kennengelernt zu haben. In einem Kapitel der *Harmonielehre*, das diesem Problem gewidmet ist, kann er auf einen Prioritätsstreit mit den genannten Komponisten verzichten, da Quarten bei ihm nicht nur melodisch oder in der Form impressionistischer Akkordwirkung auftreten, sondern in ihren Klangvaleurs zugleich die ganze harmonische Konstruktion bedingen. *Ich weiß nicht, ob ein anderer Komponist vor mir Akkorde in diesem Sinn angewendet hat, in diesem harmonischen Sinn. Im harmonischen Sinn ist nämlich die Verwendung als impressionistische Ausdrucksmöglichkeit mitinbegriffen.*[65] In einer Zeit der Tendenzen zu gewaltigen Orchesteraufgeboten, denen sich auch Schönberg nicht verschlossen hatte, reduziert er in diesem Werk die Ausmaße des symphonischen Apparats auf die Dimensionen der Kammermusik, indem er für die Besetzung des Stücks nur fünfzehn Soloinstrumente (acht Holzblä-

38

ser, zwei Hörner, fünf Streicher) fordert. Diese erstaunliche Reduktionstendenz hatte neben ihren künstlerischen durchaus auch ökonomische Gründe, weil Schönberg hoffte, mit einer derart kleinen Besetzung *gründlicher und mit geringeren Kosten*[66] proben zu können, als es der Zeit- und Geldaufwand der Mammutorchester erforderte.

Das äußerlich einsätzige Werk aus fünf Teilen (Allegro, Scherzo, Durchführung, Adagio, Reprise/Finale) hat eine Spieldauer von zwanzig Minuten, beweist also auch in seiner zeitlichen Ausdehnung jene Tendenz zur Kondensation, die sich schon in der Besetzung andeutete. Hier ist der Einschnitt anzunehmen, von dem an Schönbergs Neigung zur Konzentration und zur Verknappung der Mittel die neuen Merkmale der Komposition wie eine kürzere Durchführung und die verminderte Zahl von Rekurrenzen zu bestimmen beginnt. *Die Länge der früheren Kompositionen war einer der Züge, die mich mit dem Stil meiner Vorgänger, Bruckner und Mahler, verbanden, deren Symphonien oft die Dauer einer Stunde überschritten. Ich war es leid geworden – nicht als Zuhörer, aber als Komponist – Musik von solcher Länge zu schreiben.*[67] Als Schönberg im Juli 1906 von einem Landaufenthalt in Rottach-Egern mit der fertigen Partitur nach Wien zurückkam und sie seinen Schülern zeigte, schrieb Anton von Webern schon am nächsten Tag unter diesem Eindruck einen Sonatensatz, in dem er sich an die äußerste Grenze der Tonalität gekommen sah.

Der hohe Grad technischen Könnens, das den Solisten in der *Kammersymphonie* abverlangt wird, stellte sich den nicht eben zahlreichen Aufführungsversuchen in den Weg. Noch kurz vor dem Ausbruch des Ersten Weltkriegs klagte Schönberg: *Die ist mein Schmerzenskind, eine meiner allerbesten Sachen und bis jetzt (wegen schlechter Aufführungen!!) noch recht unverstanden.*[68] Von den Proben zur Uraufführung ist überliefert, daß der Hornist der Wiener Philharmoniker nicht in der Lage war, die sechs aufeinanderfolgenden Quarten zu spielen, so daß sein Stimmkollege die drei unteren Quarten blasen mußte und er selbst die drei oberen. Die folgende Besprechung der Uraufführung im «Illustrierten Wiener Extra-Blatt» vermittelt einen Einblick in das Niveau der Wiener Musikkritik in ihrer Reaktion auf Schönberg, wobei erschreckend deutlich bereits das Vokabular faschistischer Kulturhüter vorweggenommen wird:

«Viele stahlen sich vor Schluß dieses Stückes lachend aus dem Bund, viele zischten und pfiffen, viele applaudierten. Schließlich kam Herr S. selber und schüttelte den 15 Mitwirkenden gerührt die Hand. In einer Loge stand bleich und mit verkniffenen Lippen der Herr Hofoperndirector Gustav Mahler, der das hohe Protectorat über entartete Musik schon seit längerer Zeit führt. Festzustellen wäre nur das Eine: Herr S. ereignet sich in Wien. In der Hauptstadt ewiger und unvergeßlicher

«Das moderne Orchester». Karikatur von Theo Zasche.
Dirigent: Gustav Mahler. Rechts, an der Nähmaschine: Arnold Schönberg

Musik. Tuts niemandem mehr weh, daß gerade hier die pöbelhaftesten
Manieren, Lärm zu machen, heimisch geworden sind? Er macht wilde,
ungepflegte Demokratengeräusche, die kein vornehmer Mensch mit
Musik verwechseln kann. Aber der Spuk wird vorübergehen; er hat
keine Zukunft, kennt keine Vergangenheit, er erfreut sich nur einer
sehr äußerlichen und armseligen Gegenwart.»[69]

An den Ecksteinen der Entwicklung machen sich die Preßköter zu
schaffen, schrieb Karl Kraus damals.

In der bekanntesten Komposition der als Geniezeit apostrophierten

Werkphase, dem *II. Streichquartett in fis-Moll* op. 10, kehrt Schönberg formal zur Mehrsätzigkeit zurück und entfaltet in den beiden ersten Sätzen noch einmal die Summe des tonalen Materials wie ein bewußt eingesetztes Darstellungsmittel. Es folgt die großangelegte Durchführung des dritten Satzes, die mit den Gesangsvariationen zur Stefan Georges «Litanei» eine Zusammenfassung der wichtigsten Motivbestandteile bringt. Der letzte Satz, «Entrückung», der ebenso wie sein Vorgänger auf die bis dahin übliche Fixierung der Tonart durch Vorzeichen verzichtet, kündigt alle Zusammenhänge mit überlieferten Instrumentalformen auf. Weiten Teilen dieser Musik fehlt der Bezug auf einen Grundton — Webern spricht hier von «Aufgelöstheit»[70] —, so daß die pointiert-melodische Kadenz nach Fis-Dur am Ende als ein absichtsvolles Signal für den sich vollziehenden Zusammenbruch der Tonalität einstehen kann. Die Liquidierung der tonalen Bezugsmomente war für Schönberg kein künstlerisches Ereignis, das aus souveräner Wahlfreiheit des Komponisten mit den ihm zur Verfügung stehenden Mitteln ins Werk gesetzt werden konnten; weit eher begriff er sich als Vollstrecker einer in der Tradition angelegten abstrakt-musikalischen Idee, die ihm an jedem Punkt seiner Entwicklung als *Aufgabe*[71] vorgegeben schien. Mit der Verszeile aus Georges «Litanei»: «Ich bin ein dröhnen nur der heiligen stimme» identifiziert sich ein kompositorisches Ego, das alle Schranken der Individualität überwunden glaubt.

In der Komposition des vierten Satzes dieses Quartetts sah Schönberg eine Zusammenfassung der nach Auflösung des tonalen Gefüges strebenden Tendenzen seiner Zeit und zugleich den entscheidenden Schritt über sie hinaus; befragt, ob er diesen neuen Stil durch bewußte Überlegung oder intuitiv-gefühlsmäßig verwirklichen konnte, antwortete er: *Die Entwicklung hat dazu gedrängt. Am meisten vielleicht hat Richard Strauss ein Verdienst hieran und Gustav Mahler. Aber auch Debussy und Max Reger, ja auch Pfitzner haben kräftig vorgestoßen. Ich habe den letzten Schritt getan und ich habe ihn konsequent getan.*[72] Und zur Priorität des Verfahrens: *Daß ich der Erste war, den entscheidenden Schritt zu wagen, wird nicht allgemein als Verdienst angesehen — ein Faktum, das ich bedaure, das ich aber ignorieren muß.*[73]

Die Texte für die Sopranstimme in den beiden letzten Sätzen sind dem Gedichtzyklus «Der Siebente Ring» von Stefan George (1907) entnommen und erscheinen heute in ihrer Programmatik wie ein Kommentar auf das an ihnen musikalisch Gestaltete:

> Ich fühle luft von anderem planeten.
> Mir blassen durch das dunkel die gesichter,
> Die freundlich eben noch sich zu mir drehten
> . . .
> Ich löse mich in tönen, kreisend, webend,
> Ungründigen danks und unbenamten Lobes
> Dem großen atem wunschlos mich ergebend.

Schönberg schätzte Georges Lyrik, ihren aristokratisch-ästhetisierenden Tonfall, die irrationale Transzendenz der Aussagen und die absolute Formenstrenge des Aufbaus; in diesem Quartett konnten ihm die bewunderten Verse als Mittel zum Zweck dienlich sein, als *ein Ori-*

Um 1908

entierungsbehelf für den Hörer und ein Gliederungsbehelf für den Komponisten[74].

Der Skandal bei der Uraufführung mit dem Rosé-Quartett und der gefeierten Sopranistin Maria Gutheil-Schoder von der Hofoper übertraf alle vorhergehenden; in einer Woge von Gelächter, Zischen und Pfeifen drohte das Werk unterzugehen.

Schönberg, den diese Szenen immer stärker in eine gereizte Abwehrstellung zum offiziellen Wiener Kunstbetrieb und seinem Publikum drängten, berichtete darüber: *Erstaunlicherweise verlief der erste Satz ohne jede Reaktion, weder dafür noch dagegen. Aber nach den ersten Takten des zweiten Satzes fing der größere Teil der Zuhörer an zu lachen und hörte nicht auf, die Aufführung auch im dritten Satz «Litanei» und im vierten Satz «Entrückung» zu stören. Das war sehr verwirrend für das Rosé-Quartett und die Sängerin, die große Maria Gutheil-Schoder. Am Schluß des vierten Satzes aber ereignete sich etwas sehr Bemerkenswertes. Nachdem die Sängerin aufgehört hat, kommt eine lange Coda, nur vom Streichquartett gespielt. Während, wie*

*gesagt, das Publikum nicht einmal die Sängerin respektierte, wurde
diese Coda ohne jede Störung entgegengenommen. Vielleicht mögen
hier selbst meine Feinde und Widersacher etwas empfunden
haben.*[75]

Vor geladenen Gästen veranstaltete der um die musikalische Wiener
Avantgarde bemühte «Ansorge-Verein» eine Wiederholung, auf deren Eintrittskarten Schönberg den Vermerk hatte drucken lassen, daß
ihr Besitz nur zu ruhigem Zuhören, nicht aber zu Meinungsäußerun-
gen wie Applaus oder Zischen berechtige. Seitdem verachtete er ein
Publikum, das seine Quartette haßte und beim Klang der *Gurrelieder*
in Jubel ausbrach; aus *innerer Notwendigkeit*[76] schrieb er *Gedanken,
die gedacht werden müssen*[77] und benötigte Zuhörer, wie er sarka-
stisch bemerkte, *nur soweit es aus akustischen Gründen unentbehrlich
ist, weil's im leeren Saal nicht klingt*[78]. Denn: *Wem unser Herrgott die
Bestimmung gegeben hat, Unpopuläres zu denken, dem hat er auch die
Fähigkeit verliehen, sich damit abzufinden, daß es immer die anderen
sind, die man gut versteht.*[79]

DER LEHRER

Es ist keine Kunst, glatte Talente glatt sich entwickeln zu lassen. Aber wo Probleme bestehen, diese zu erkennen, ihnen beizukommen – und – last not least: Erfolg zu haben: das ist der Lehrer.[80] Mit diesen Worten umriß Schönberg 1910 in einem Brief an seinen Verleger Emil Hertzka, den Direktor der Universal-Edition in Wien, seine Vorstellungen von der Aufgabe des Lehrers. Fünf Jahre zuvor hatte ihm Eugenie Schwarzwald, Leiterin der nach ihr benannten reformpädagogischen Schulen in Wien, Räume in ihrer Anstalt für Kompositionskurse zur Verfügung gestellt. Die ersten Schüler kamen aus dem Musikwissenschaftlichen Seminar der Universität, dessen Ordinarius Guido Adler, ein Freund Gustav Mahlers, seine Studenten auf Schönbergs Kurse aufmerksam machte. Aus der ersten Schülergeneration sind Heinrich Jalowetz, Erwin Stein, Anton von Webern und Alban Berg, der kurze Zeit später durch die Vermittlung seines Bruders hinzukam, zu nennen. Unter den Teilnehmern der «Schwarzwald-Kurse» waren nach Schönbergs Auffassung allerdings zu wenig echte Kompositionstalente, so daß er bald das Seminar aufgab und nur jene, die er als wirklich begabt einschätzte, zum Privatunterricht in seine kleine Wohnung in der Liechtensteinstraße holte.

Seitdem hat in Schönbergs Leben die Lehrtätigkeit einen breiten Raum beansprucht, sie ist als komplementär zu seinem kompositorischen Schaffen zu begreifen und von diesem nicht abzulösen. Die Bedeutung der Gespräche mit den Schülern, der Erkenntniswert ihrer Fehler und ihrer Kritik ist eingegangen in die dialektisch-knappe Formel aus dem Vorwort zur *Harmonielehre*: *Dieses Buch habe ich von meinen Schülern gelernt.*[81] Es tut dabei seinem fast legendären Erfolg als Lehrer keinen Abbruch, wenn man annimmt, daß nicht allein musikpädagogischer Eifer, sondern das Fehlen jeglicher materiellen Basis zunächst ein auslösendes Moment für diese Tätigkeit war. Um der finanziellen Not zu entgehen, hat Schönberg damals mehr als sechstausend Seiten aus der umfangreichen Produktion seiner sehr viel erfolgreicheren Kollegen von der Wiener Operette instrumentieren müssen, wobei er der Monotonie dieser Tätigkeit dadurch zu entkommen suchte, daß er ungewöhnliche Instrumentaleffekte für die Partituren erfand. Mit einigem Recht hat Egon Wellesz Schönbergs Ablehnung eines gefälligen, auf Effekt zielenden Orchesterklangs, wie er im Frühwerk auf dem Weg zur *Kammersymphonie* deutlich wird, aus der Sisyphos-Arbeit der jahrelangen Instrumentation von Operetten zu erklären versucht. Diese ständige Demütigung durchs Mäßig-Zeitgemäße hat zweifellos entscheidend auf sein kompromißloses Suchen nach neuen, unabgegriffenen Formen zurückgewirkt.

Die Arbeit als Lehrer entließ ihn nicht nur aus der lähmenden Eintönigkeit der Instrumentation für ihm fernstehende Komponisten, sondern vermittelte ihm auch das Gefühl bedingungsloser Anerkennung
durch die Gruppe seiner Schüler, jene Anerkennung, die ihm bei den
ständigen Uraufführungsskandalen mit ihren darauffolgenden Pressefehden versagt war. Mehr als die Hälfte aller Beiträge zu seiner ersten
Festschrift, die 1912 bei Piper in München erschien, ist dem Kapitel
«Schönberg als Lehrer» gewidmet und bekundet die Dankbarkeit und
Verehrung eines großen Schülerkreises. Der oft glühende Tonfall ihrer

47

Hommagen verrät Unbedingtheit und Bewunderung: «Schönberg bildet den Schüler im tiefsten Sinne des Wortes und stellt unwillkürlich einen so zwingenden menschlichen Kontakt mit jedem einzelnen her, daß sich seine Schüler um ihn scharen wie die Jünger um ihren Meister.»[82] Daß Heinrich Jalowetz hier das theologische Bild der Jüngerschaft anführt, geschieht nicht zufällig; im Kampf um die Durchsetzung der neuen Musik wuchs das Schüler-Lehrer-Verhältnis sehr bald über die bloße Vermittlung kompositorischen Wissens hinaus zu einer Art Schicksalsgemeinschaft, die auf Schönberg als die unangefochtene Autorität eingeschworen war. Webern spricht davon, daß «ihm alle bedingungslos ergeben sind»[83] und bekennt: «Was wir sind, danken wir ihm, wir glauben an ihn, und er schenkt uns sein großes, unbeschreiblich gutes Herz.»[84]

In dem unbedingten Glauben an seine Musik zeigte sich schon früh eine ausgeprägt messianische Komponente in Schönbergs Charakter, die zunahm mit dem Hineinwachsen in jene Außenseiterrolle, die ihm der offizielle Musikbetrieb zuwies. Und er war stets überzeugt, daß die kleine Zelle musikalischer Gegenkultur, die er mit seinen Schülern bildete, Zukunft haben würde: *Unterschätzen Sie nicht die Größe des Kreises, der sich um mich bildet. Er wird wachsen durch die Wißbegierde einer idealistischen Jugend, die sich mehr durch das Geheimnisvolle angezogen fühlt als durch das Alltägliche.*[85] Die Schritte ins kompositorische Neuland waren zu dieser Zeit theoretisch noch nicht abzusichern, der Glaube aber an die Wahrhaftigkeit seines Tuns unter dem Diktat eines objektiven Zwangs – *Kunst kommt nicht von Können, sondern von Müssen*[86] – teilte sich auch der Umgebung in einer Weise mit, daß sein Schüler Josef Polnauer sagen konnte, keiner, der guten Willens sei, gehe ungesegnet von ihm. Daß einige der Schüler sich als «die Auserwählten, deren Sehnsuchtsharfe der Schöpfer selbst gestimmt hat»[87], begriffen, zeigt, daß der kleine Kreis von unverkennbaren Zügen eines Georgetums mit den Gesten von Exklusivität und betonter Innerlichkeit nicht frei war. Die Einleitung Paul Linkes zum *II. Streichquartett* macht deutlich, wie der Weg zu Schönbergs Musik für viele Adepten zugleich ein Weg zum Glauben sein konnte: «Alles wegwerfen woran wir gewöhnt und worauf wir stolz sind: Grundsatz, Brustton, Unfehlbarkeit, Überzeugung, Armbewegung, Nervosität. Ganz leise werden, alle Lichter auslöschen, uns hinlegen, warten, bis wir etwas werden. Bis einer Licht macht, irgendein Licht, ein unbekanntes, unbegreifliches, nie erwartetes. Und wenn die Zeit nicht da ist, warten. Einmal wird es sein. Da wird einer über gefallene Nadeln knistern und ein winziges Stück Blau in den Händen tragen.»[88]

Dabei war Schönbergs Unterricht das genaue Gegenteil jener Unterweisung in die geheimnisumwitterten Lehren der Atonalität, die man-

48

Mit Tochter Gertrud und Sohn Georg. Berlin, 1912

cher Schüler dort vermutet haben mochte. Er betrieb Kompositionslehre an klassischen Modellen, unterrichtete Kontrapunkt traditionell nach dem Bellermannschen Lehrbuch und verlangte die Beherr-
schung der überkommenen Techniken wie die Grammatik einer Sprache. Da er wußte, daß seine Vorstellungen von künstlerischem Schaffen – *dieses unter einem Zwang von innen heraus entwickelte Können* [89] – zunächst nicht durch Reproduktion oder Theorie zu vermit-
teln war, beschränkte er sich auf die Lehre eines stimmigen, elementa-
ren Handwerks. Den ersten tonartfreien Kompositionen, die seine
Schüler ihm vorlegten, stand er mit äußerster Skepsis gegenüber, weil

er darin die bloße Anwendung eines Kunstmittels befürchtete und nicht die Verwirklichung des von ihm geforderten *Ausdrucksbedürfnisses*[90]. Erfindungen, die er als zu glatt oder zu vordergründig befand, pflegte er bissig mit den Worten *Heben Sie sich das für Ihre nächste Operette auf*[91] zu kommentieren. Jeder Schüler sollte die in ihm angelegten Möglichkeiten auf eigene Weise entfalten, wobei die Technik das Sekundäre sei, die allein aus der Wahrheit der musikalischen Idee entspringe und keinesfalls zum Selbstzweck erhoben werden dürfte; denn: ... *es ist zwecklos, die Indizien eines Vulkanausbruchs zu arrangieren, weil der Kundige auf den ersten Blick sieht, daß da nur ein Spirituskocher gewütet hat.*[92] In einem kurzen Essay *Probleme des Kunstunterrichts* bringt er auf eine knappe Formel, *wozu ein wahrhafter Kunstlehrer seine Schüler zu führen hätte: zu dieser strengen Sachlichkeit, die vor allem das auszeichnet, was wirklich persönlich ist. So könnte ein Kunstlehrer auch den Talentierten dahin bringen, solche Äußerungen zu tun, die eine Persönlichkeit angemessen ausdrücken. Der Glaube an die alleinseligmachende Technik müßte unterdrückt, das Bestreben nach Wahrhaftigkeit gefördert werden. Dann dürfte sogar das Kunstbeispiel herangezogen, könnten die Kunstmittel mitgeteilt werden. Zur Nachahmung empfohlen, aber in einem anderen Sinn: nicht wie, sondern daß man sich mit den Problemen auseinanderzusetzen hat, müßte der Schüler entnehmen ... Aber die Gedanken, die Gefühle bringt man selbst mit. Man kann sich von der Sprache tragen lassen, aber sie trägt nur den, der imstande wäre, sie selbst zu erfinden, wenn es sie nicht gäbe.*[93]

Auf den Premierenabenden der Neuen Musik war die «Schönberg-Clique» bald eine Institution, die nach allen Kräften den Artikulationen des Mißfallens ihren demonstrativen Applaus entgegenhielt. In den Dienst der Sache Schönbergs stellten sich viele Schüler auch als ausübende Musiker, zum Teil glänzende Solisten, die die Propagierung dieser Ideen oft einer vielversprechenden Laufbahn als Repertoirevirtuosen vorzogen. 1911 berichtet Ferruccio Busoni in der Berliner Zeitschrift «Pan» von einem Klavierabend: «Vor den Tastaturen sitzen vier Jünglinge mit feinen, charakteristischen Köpfen, es wirkt fast ergreifend, wie sie ihre jungen Intelligenzen in den Dienst des noch Unenträtselten stellen, hingebend und tüchtig. Im Hintergrund des kleinen Podiums glimmen unruhig zwei Augen, bewegt sich kurz und nervös ein Taktstock. Man erblickt nur den Kopf und die Hand Schönbergs, der die vier Wackeren suggeriert, ihnen mehr und mehr von seinem Fieber mitteilt. — Ein ungewöhnliches Bild, das durch den ungewöhnlichen Klang unterstützt, eine Faszination ausübt. Jedenfalls anders, als das eines Sonatenabends zweier königlicher Professoren.»[94]

Eine neue Phase seiner Entwicklung, den Schritt von einer gleichsam schwebenden zur aufgehobenen Tonalität, für die der Begriff atonal sich einbürgerte, sah Schönberg mit den *Zwei Klavierliedern* op. 14 (nach Georg Henckel und Stefan George), den Vertonungen von *Fünfzehn Gedichten aus «Das Buch der hängenden Gärten» von Stefan George* op. 15 und den *Drei Klavierstücken* op. 11 eingeleitet, die, wie eine Analyse der vorhergehenden Werke zeigt, sich nicht als ein plötzlicher Bruch, sondern als fließender Übergang und in engster Verknüpfung mit diesen vollzog.

Der Begriff «atonal» in diesem Kontext ist weit problematischer, als die häufige Verwendung des Wortes annehmen läßt. Wie Impressionismus oder Fauvismus war es zunächst ein diffamierendes Schlagwort der journalistischen Kritik, die in den neuen Tonkonstellationen eine Auflösung gewohnter Harmoniebegriffe und damit das Ende von Musik überhaupt wahrzunehmen glaubte. Schönberg fand den Ausdruck *höchst unglücklich: Wenn einer das Fliegen die «Nichtherunterfallkunst» nennte, oder das Schwimmen die «Nichtuntergehekunst», so ginge er ebenso vor.*[95] Nicht das negative Moment solle betont werden, sondern ein Prozeß der Befreiung war zu benennen, den er unter dem Stichwort *Emanzipation der Dissonanz*[96] begründet hat; daß zwischen Konsonanzen und Dissonanzen nur eine graduelle, nicht aber eine kategoriale Differenz bestehe und eine Dissonanz nichts anderes als eine entferntere Konsonanz sei. Zudem sträubte sich Schönberg gegen die anfangs offenkundig pejorative Verwendung des Begriffs, den er analog dem Wort a-musisch konstruiert glaubte: *Der Ausdruck atonal dürfte übrigens auch nicht als ernstzunehmender Ausdruck zu gelten haben, weil er als solcher nicht entstanden ist, sondern von einem Journalisten zur übertrieben aggressiven Charakteristik dem Ausdruck «amusisch» nachgebildet wurde; in diesem Zusammenhang habe ich wenigstens ihn zuerst vernommen. Daher könnte dann auch die Übertriebenheit sowohl stammen als auch die innere Ungenauigkeit: der Journalismus hat gestikulierende Ausdrücke nötig, die nicht genau zutreffen, denn der nächste Tag muß alles wieder zurücknehmen können, alles dieses unverbindlich Gesagte! Aber Ausdrücke der Ästhetik müssen besser sitzen, sollten nicht einen satyrischen Ursprung haben und auch nichts reklamehaft Schreiendes.*[97] Alban Berg, der sich im Wiener Rundfunk 1930 einem langen Interview über die Frage «Was ist atonal?» unterzog, bekannte mit einigem Entsetzen, daß für diesen Sachverhalt der leibhaftige Antichrist keinen Namen hätte ersinnen können, der teuflischer wäre.

Gegen den Willen Schönbergs, der allerdings schon bald damit rechnete, *daß in kurzer Zeit das Sprachgewissen sich gegen diesen Ausdruck soweit abgestumpft haben wird, daß es ein paradiesisch sanftes Ruhekissen abzugeben vermag*[98], hat sich der Begriff Atonalität auch in der apologetischen und deskriptiven Literatur zur Neuen Musik festgesetzt, um verallgemeinernd den Verzicht auf einen durchgehend tonartlichen Bezug der harmonischen Abfolge zu benennen. Als Schönberg 1921 die Verwendung von *polytonal* oder *pantonal*[99] vorschlug, war indessen jener unbeliebte Begriff «atonal» bei Gegnern und Freunden bereits historisch geworden.

Die Vertonung der George-Gedichte für Klavier und eine Singstimme op. 15 folgt noch in ihrer äußeren Form der Tradition der großen Liederzyklen des 19. Jahrhunderts; Schönbergs Kompositionen schließen eine Entwicklung ab, die in Beethovens «An die ferne Geliebte» und Schuberts «Die schöne Müllerin» und «Die Winterreise» ihre Höhepunkte erreicht hatte. Schon in den beiden letzten Sätzen des *Streichquartetts* op. 10 hatte Schönberg zu Texten Georges gegriffen; ein neuerliches Vertonen von Werken dieses Dichters darf zu diesem Zeitpunkt nicht als zufällig verstanden werden, sondern sollte die Gründe in der Konstitution dieser Dichtung selber zu finden versuchen. Zunächst scheint der Befund irritierend, da Schönberg den hervorstechendsten Zug der Gedichte, ihre präzise Rhythmik und die Formstraffheit des Zeilenbaus — das «strengste maass» — nur höchst selten in die Komposition aufnimmt und statt dessen die durch Versmetren und Reim gegebenen Akzente in eine asymmetrisch-freie Form musikalischer Prosa umbiegt. Um so stärker wirken der Sprachklang und die Ausdrucksgebärden Georges auf die Musik zurück, die in ihrer Gestalt zahlreiche Beispiele textausdeutender Bildlichkeit zeigt. Den ästhetischen Gesamteindruck der neuen Klangwelt resümiert K. H. Ehrenforths Studie über op. 15 in der Formel des «märchenhaften, dem Irdischen entrückten Geheimnisses, das dennoch dem Wort eine fast paradoxe Helligkeit und Klarheit läßt»[100]. Der Uraufführung der *George-Lieder* im Wiener «Verein für Kunst und Kultur» im Januar 1910, zusammen mit dem ersten Teil der *Gurrelieder* (noch in Klavierbegleitung zu sechs Händen) und den *Klavierstücken* op. 11, stellte Schönberg eine programmatische Erklärung voraus, die die stilistischen Kontraste der angekündigten Werke zu rechtfertigen sucht und schon im Ansatz die zuletzt erreichte Position reflektiert:

Die Gurre-Lieder habe ich anfangs 1900 komponiert, die Lieder nach George und die Klavierstücke 1908. Der Zeitraum, der dazwischen liegt, rechtfertigt vielleicht die große stilistische Verschiedenheit. Die Vereinigung solch heterogener Werke im Aufführungsrahmen eines Abends bedarf, da sie in auffälliger Weise einen bestimmten Willen ausdrückt, vielleicht ebenfalls einer Rechtfertigung.

Mit den Liedern nach George ist es mir zum ersten Mal gelungen, einem Ausdrucks- und Formideal nahezukommen, das mir seit Jahren vorschwebt. Es zu verwirklichen, gebrach es mir bis dahin an Kraft und Sicherheit. Nun ich aber diese Bahn endgültig betreten habe, bin ich mir bewußt, alle Schranken einer vergangenen Ästhetik durchbrochen zu haben; und wenn ich auch einem mir als sicher erscheinenden Ziele zustrebe, so fühle ich dennoch schon jetzt den Widerstand, den ich zu überwinden haben werde; fühle den Hitzegrad der Auflehnung, den selbst die geringsten Temperamente aufbringen werden, und ahne, daß

53

selbst solche, die mir bisher geglaubt haben, die Notwendigkeit dieser Entwicklung nicht werden einsehen wollen. Deshalb erschien es mir angebracht, durch die Aufführung der Gurre-Lieder, die vor acht Jahren keine Freunde fanden, heute aber deren viele besitzen, darauf hinzuweisen, daß nicht Mangel an Erfindung oder an technischem Können, oder an Wissen um die anderen Forderungen jener landläufigen Ästhetik mich in diese Richtung drängen, sondern daß ich einem inneren Zwange folge, der stärker ist, als Erziehung; daß ich jener Bildung gehorche, die als meine natürliche mächtiger ist, als meine künstlerische Vorbildung.[101]

Mit den *Klavierstücken* op. 11, die als letztes Werk an jenem Abend uraufgeführt wurden, hat der Komponist zum erstenmal dieses Instrument solistisch eingesetzt. Der Pianist Eduard Steuermann sah hier das erste Glied in einer Kette von Klavierkompositionen (op. 11, op. 16, op. 19, op. 23, op. 33 a), die immer dann erscheinen werden, wenn in Schönbergs Schaffen ein neuer, entscheidender Schritt sich abzeichnet. Die drei verhältnismäßig kurzen Stücke lassen noch in Umrissen die Sonatenform erkennen, wobei die beiden ersten in unterschiedlichem Grad tonal disponiert sind, während sich der dritte Teil, in einem zeitlichen Abstand von sechs Monaten zu den Vorgängern komponiert, völlig frei von tonalen und motivischen Bezugsmomenten zeigt. Die Tendenz zur Komprimierung eliminiert Paraphrasen und Variationen, im Moment seines Erklingens muß das Thema alles ausdrücken, was es zu sagen hat. Der somit aufgehobene Unterschied zwischen Essentiellem und Akzidentellem erschließt dem ganzen Satz ein Höchstmaß gleichmäßiger Dichte und Intensität, worin Schönberg das Ideal des Kunstwerks als eines *vollkommenen Organismus*[102] gesehen hatte: *Es ist so homogen in seiner Zusammensetzung, daß es in jeder Kleinigkeit sein wahrstes, innerstes Wesen enthüllt. Wenn man an irgendeiner Stelle des menschlichen Körpers hineinsticht, kommt immer dasselbe, immer Blut heraus. Wenn man einen Vers von einem Gedicht, einen Takt von einem Tonstück hört, ist man imstande, das Ganze zu erfassen.*[103]

Die Faszination der *Klavierstücke* op. 11, deren Klangschattierung vom dreifachen Forte (fff) bis zum vierfachen Piano (pppp) sich differenzierte und somit an den Grenzen des akustisch Noch-Möglichen rüttelte, wirkte sehr bald über den engeren Schönberg-Kreis hinaus auf die europäischen Avantgarde; von Igor Strawinsky wird berichtet, daß er Schönbergs op. 11 bei sich trug, als er am «Sacre du Printemps» komponierte.

Eine Synthese der konstruktiven Polyphonie von *Kammersymphonie* und *II. Streichquartett* mit den komprimierten Kurzformen der George-Lieder und der *Klavierstücke*, übertragen auf den überdimensionierten Apparat eines spätromantischen Orchesters – das ergab die

Fünf Orchersterstücke op. 16, die im Sommer 1909 in Steinakirchen beendet wurden. Vierzig Jahre später hat Schönberg noch eine *Reduktion für Standard-Orchester* vorgenommen, weil, so befand der damals Vierundsiebzigjährige, *sie ein Verdienst haben: daß sie wirklich neu waren und noch nicht veraltet sind*[104]. Eine Tagebuchnotiz Schönbergs vom Januar 1912 zeigt die Skepsis des Komponisten gegen die vom Verleger geforderten Titelbezeichnungen, da er durch das Wort eine außermusikalische Fremdbestimmung fürchtete:

Brief von Peters, der mir für Mittwoch in Berlin ein Rendezvous gibt, um mich persönlich kennen zu lernen. Will Titel für die Orchesterstücke; aus verlagstechnischen Gründen. Werde vielleicht nachgeben, da ich Titel gefunden habe, die immerhin möglich sind. Im Ganzen die Idee nicht sympathisch. Denn Musik ist darin wunderbar, daß man alles sagen kann, so daß der Wissende alles versteht und trotzdem hat man seine Geheimnisse, die, die man sich selbst nicht gesteht, nicht ausgeplaudert. Titel aber plaudert aus. Außerdem: was zu sagen war, hat die Musik gesagt. Wozu dann noch das Wort. Wären Worte nötig, wären sie drin. Aber die Kunst sagt doch mehr als Worte. Die Titel, die ich vielleicht geben werde, plaudern nun, da sie teils höchst dunkel sind, teils Technisches sagen, nichts aus. Nämlich

    I. *Vorgefühle (hat jeder),*
   II. *Vergangenheit (hat auch jeder),*
  III. *Akkordfärbungen (technisches),*
  IV. *Peripetie (ist wohl allgemein genug),*
   V. *Das obligate (vielleicht besser das «ausgeführte» oder das «unendliche») Recitativ.*

Jedenfalls mit einer Anmerkung, daß es sich um Verlagstechnische und nicht um den «poetischen» Inhalt handelt.[105]

In dem Aufsatz *Das Verhältnis zum Text* hatte Schönberg zwar Richard Wagner recht gegeben, wenn dieser Beethovens Symphonien Programme unterlegte, *um dem Durchschnittsmenschen einen mittelbaren Begriff von dem zu geben, was er als Musiker unmittelbar erschaut hatte*[106]; doch sah er darin ein Verfahren, das Ausnahme bleiben muß. *Verhängnisvoll wird solch ein Vorgang, wenn er Allgemeinbrauch wird. Dann verkehrt sich sein Sinn ins Gegenteil: man sucht in der Musik Vorgänge und Gefühle zu erkennen, so als ob sie drin sein müßten.*[107]

Die motivischen Keimzellen jedes der fünf Stücke bestehen aus nur wenigen Noten, die durch ständigen Wechsel immer neue musikalische Gestalten auskristallisieren. Im dritten Stück gewinnt die Klangfarbe eine tragende strukturelle Aufgabe, die nichts mehr mit genrehaft poetisierender Illustration zu tun hat; der Satz konstituiert sich fast ausschließlich aus dem durchgehaltenen Akkord C-Gis-H-E-A, zu dessen Darstellung die verschiedenen Instrumentengruppen in unmerklich gleitender Abfolge herangezogen werden. *Der Wechsel der Akkorde hat so sacht zu geschehen, daß gar keine Betonung der einsetzenden Instrumente sich bemerkbar macht, so daß er lediglich durch die andere Farbe auffällt*[108], vermerkte der Komponist als Dirigieranweisung in der Partitur. Das Stück kam 1912 in London bei einem Promenadenkonzert unter der Leitung von Sir Henry Wood zur Uraufführung.

DER MALER

Am 10. Oktober 1910 wurde in einem kleinen Raum der Wiener Buch- und Kunsthandlung Hugo Heller am Bauernmarkt eine Ausstellung mit 47 Ölbildern und Aquarellen von Arnold Schönberg eröffnet. Die ersten Einladungen waren kaum verschickt, als schon unter den Orchestermitgliedern der Hofoper das bezeichnende Diktum zirkulierte: «Schönbergs Musik und Schönbergs Bilder – da muß einem ja zugleich das Hören und Sehen vergehen!» Wie nicht anders zu erwarten, waren die Pressekritiken vernichtend, aber auch Schönbergs Umgebung schien überrascht, daß er seine Malversuche, in denen Vertraute bislang kaum mehr als eine Nebenbeschäftigung gesehen hatten, in die Öffentlichkeit brachte. Dabei sind diese Bilder das genaue Gegenteil jener Sonntagsmalerei, in der, wie oft angenommen wurde, ein angestrengt produzierender Komponist problemlose Entspannung zu finden vermochte. Wenn Schönberg berichtet, daß für ihn das Malen die gleiche Bedeutung habe wie die Niederschrift einer Komposition, wird deutlich, daß er sich auch in diesem Medium unter dem Diktat eines Ausdruckszwanges fühlte. Der Gedanke Robert Schumanns, daß die Ästhetik der einen Kunst auch die der andern sei, wobei nur das Material verschieden ist, gilt in besonderem Maße für den Musiker und Maler Schönberg, in dessen Werk zu dieser Zeit zwei Kunstformen sich verschränken. Der Beleg für sein Selbstverständnis in dieser Frage ist die Feststellung: *Malen bedeutet für mich in der Tat dasselbe wie Komponieren.*[109]

Dieser Satz hat schon früh zu der irrigen und immer wieder aufgegriffenen Annahme geführt, Schönbergs Bilder seien gemalte Musik oder sie visualisierten zumindestens einen Kommentar zu seiner Musik, wobei in diesen Spekulationen stets die Eigengesetzlichkeit des jeweiligen Materials unterschlagen wurde. Von der Forschung in ein

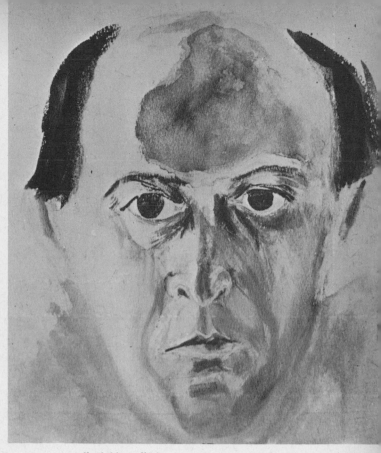

Selbstbildnis. Ölskizze, um 1912. Nachlaß, Los Angeles

Niemandsland zwischen Musikwissenschaft und Kunstgeschichts-
schreibung gedrängt, hat Schönbergs Malerei bis heute wenig Beachtung gefunden. Es bleibt sowohl nach der Problematik der Bilder in
ihrer Bedeutung für das Gesamtwerk des Künstlers zu fragen als auch
darüber hinausgehend eine Einordnung dieses malerischen Œuvres in
die Entwicklungslinien der Wiener Malerei um 1910 vorzunehmen.
Auch eine interdisziplinäre Analyse der wechselseitigen Beeinflussung
von Musik- und Kunsttheorie in der Epoche des Expressionismus ist
noch Desiderat. Die im folgenden ausgebreiteten Überlegungen und
Fakten können nicht den Anspruch erheben, diese Lücke in der Literatur zu schließen, sie sind als ein Anstoß gedacht.

Mit 58 Ölbildern und etwa 150 Aquarellen und Zeichnungen wird der größte Teil des malerischen Werkes heute in Schönbergs Nachlaß in Los Angeles aufbewahrt. Weitere Bilder befinden sich im Historischen Museum der Stadt Wien, in der Galerie im Lenbach-Haus in München, in der Library of Congress in Washington und in Privatsammlungen in New York, Syracuse, San Francisco und Wien.

Die frühesten erhaltenen Datierungen auf den Gemälden geben die Jahreszahl 1908 an, doch ist der Beginn von Schönbergs Maltätigkeit einige Jahre zuvor anzusetzen, als der junge Wiener Maler Richard Gerstl mit ihm Kontakt aufnahm. Gerstl, der heute mit Klimt, Schiele und Kokoschka zu den Wegbereitern der österreichischen Moderne auf dem Feld der Malerei gezählt wird, war eine Zeitlang Akademieschüler Heinrich Leflers gewesen, hatte sich dann mit seinem Lehrer überworfen und lebte jetzt als Außenseiter, der den Kontakt mit anderen Malern mied, in einem Atelier unweit der Wohnung Schönbergs in der Liechtensteinstraße. Die Nähe zum Schönberg-Kreis, dessen Absage an die Formen traditioneller Ästhetik ihn faszinierte, blieb nicht ohne Rückwirkungen auf sein eigenes Werk; lange Zeit später noch erinnerte sich Schönberg an *die vielen Gespräche über Kunst, Musik und alles Mögliche*, die Gerstl *in seinem zur Zeit noch sehr zahmen Radikalismus* [110] bestärkt hätten. Die Freundschaft zwischen Gerstl und der Familie Schönberg fand nach einem gemeinsamen Sommeraufenthalt ein jähes Ende; der fünfundzwanzigjährige Maler und die Frau des Komponisten hatten ein Verhältnis begonnen, das Schönberg nicht verborgen blieb. Im Herbst des gleichen Jahres beging Richard Gerstl Selbstmord.

An zahlreichen Gemälden Schönbergs ist Gerstls fauvistische, den Tachismus vorwegnehmende Maltechnik abzulesen, wobei ungeklärt ist, ob sie zunächst in direkter Unterweisung durch den jungen Maler entstanden. In einem Interview mit dem amerikanischen Journalisten Halsey Stevens hat sich Schönberg als *absoluter Amateur* [111] in der Malerei bezeichnet: *Ich hatte keine theoretische und nur sehr wenig ästhetische Schulung und die nur durch die allgemeine Erziehung.* [112] Daß er jede Beeinflussung durch das Werk Gerstls und des gleichzeitig in Wien arbeitenden Kokoschka bestritten hat, ist zwar aus seiner Empfindlichkeit in Dingen des geistigen Eigentums zu verstehen, wird aber durch sein Werk widerlegt, das einige offensichtliche Anleihen bei den genannten Künstlern zeigt. Allerdings bleibt eine Übernahme auf die äußerlichen Züge bestimmter Maltechniken beschränkt, während die Inhalte seiner Gemälde ihn als genuinen Erfinder ausweisen, dessen bildnerische Phantasie sich nicht an Vorbildern zu orientieren brauchte.

In dem Katalog der Wiener Ausstellung von 1910 sind die Werke gemäß ihrer Thematik in «Porträts und Studien» und «Eindrücke und Phantasien» aufgegliedert. Die erste Gruppe umfaßte unter anderem Selbstbildnisse, Porträts seiner Frau Mathilde, des Buchhändlers Hugo Heller, der Pianistin Etta Werndorf, seines Schülers Alban Berg und der Librettistin des Monodrams *Erwartung*, Marie Pappenheim; es sind locker mit dem Pinsel skizzierte, um Ähnlichkeit mit dem Vorbild bemühte Versuche, die er, Kandinskys Zeugnis zufolge, als Finger-übungen begriff und nicht gern ausstellte. Die Dargestellten sind entweder vor einen monochromen, nicht näher artikulierten Malgrund gesetzt oder erscheinen in einem der perspektivischen Bindungen weitgehend enthobenen, in die Fläche geklappten Interieur.

Sehr heterogen ist die zweite Gruppe, in der Schönberg die rätselhaften Protokolle seiner *Visionen* festhielt, grimassierende Masken, defor-

Bildnis Alban Berg.
Gemälde von Arnold Schönberg.
Historisches Museum
der Stadt Wien

Erinnerung an das Begräbnis Gustav Mahlers.
Ölskizze von Arnold Schönberg. 1911. Privatsammlung, San Francisco

mierte Antlitze und zahlreiche, aus farbigem Nebel starrende Augen, die er *Blicke* nannte. In vielen Bildern werden psychische Zwangsvorstellungen manifest, wie in den hämisch grinsenden *Kritikern* mit trichterförmigen Ohren und leeren Augenhöhlen oder in dem feisten roten Gesicht des glatzköpfigen *Mäzen.* In jeder Darstellung mischen sich verschiedene Realitätsgrade, wenn präzis artikulierte Objekte mit aufgelösten, nahezu sachsinnfreien Formen verschmelzen. Die zwischen grellen Kontrasten und dumpfen Tonwerten des Palettenschmutzes wechselnde Farbigkeit vermeidet jedes kulinarische Moment, wie überhaupt der Gestus dieser Bilder im Vergleich mit den damals in Wien dominierenden Produkten der bereits kommerzialisierten Secession nur in negativen Kategorien zu beschreiben ist. Ihre suggestive Wirkung auf den Betrachter ließe sich auf die summarischen Formeln von Unruhe, Entsetzen und Grauen bringen; die Reflexe psychischer Schocks, die sie austeilen, finden sich in zahlreichen Kritiken der Wiener Presse, die erstaunlicherweise sehr ausführlich von der Ausstellung bei Heller Notiz nahm, allerdings nicht ohne die Ausführung der Bilder an der akademischen Elle zu messen, um sie dann um so entschiedener ablehnen zu können:

«Nun malt er. Auf den ersten Anblick ist es schrecklich. Man fährt entsetzt zurück. Der grauenvollste Dilettantismus tut sich auf. Ein unsicheres Tasten in den ersten Anfängen gibt sich kund. Hat sich das Auge von dem ersten Angriff all dieser wogenden, quirlenden, verschmierten, versulzten, versauceten Greuel erholt, hat es sich einsehen gelernt, so erschließt sich das tief zugrunde liegende Talent, eine auf schlammige Irrwege geratene, phantastische, bizarre, eigenwillige Gestaltungskraft, die sich in den Mitteln vergreift» («Wiener Illustrirtes Extrablatt»).[113]

Die ständige finanzielle Not veranlaßte auch einen Brief an seinen Verleger von der Universal-Edition, in dem Schönberg sich als Porträtmaler empfiehlt und zugleich eine Wertung der eigenen Malerei mitliefert. Mögliche Spekulationen um eine widerstrebende Aufnahme oder die Ablehnung seiner Werke versucht er durch betont selbstbewußte Forderungen zu unterlaufen, da er sich, ganz ähnlich seiner Musik, schon jetzt ihres Wertes sicher ist:

Sie wissen, daß ich male. Aber Sie wissen nicht, daß meine Arbeiten von Sachverständigen sehr gelobt werden. Ich soll auch nächstes Jahr ausstellen. Und da denke ich, vielleicht könnten Sie bekannte Mäzene veranlassen, mir Bilder abzukaufen oder sich von mir malen zu lassen. Ich bin gerne bereit, Ihnen ein Probebild zu machen. Ich möchte Sie unentgeltlich malen, wenn Sie mir zusichern, daß Sie mir dann Aufträge verschaffen. Nur dürfen Sie den Leuten nicht sagen, daß ihnen meine Bilder gefallen werden. Sondern Sie müssen ihnen begreiflich machen, daß ihnen meine Bilder gefallen müssen, weil sie von Fachautoritäten gelobt wurden; und vor allem aber, daß es doch viel interessanter ist, von einem Musiker meines Rufes gemalt zu werden oder ein Bild zu besitzen, als von irgend einem Kunsthandwerker, dessen Namen in 20 Jahren kein Mensch mehr kennt, während meiner schon heute der Musikgeschichte angehört. Ich verlange für ein Porträt in Lebensgröße 2 bis 6 Sitzungen und 200 bis 400 Kronen. Das ist doch sehr billig, wenn man bedenkt, daß man für diese Bilder in 20 Jahren das 10-fache und in 40 Jahren das 100-fache bezahlen wird ...

Allerdings aber: darauf lasse ich mich nicht ein, daß der Ankauf eines Bildes davon abhängt, ob es dem Besteller gefällt. Der Besteller weiß, wer malt; er muß auch wissen, daß er nichts davon versteht, daß aber das Bild Kunstwert oder doch mindestens historischen Wert hat.[114]

Die *Fachautoritäten*, deren Zuspruchs Schönberg sich hier vergewissert, waren der damals vierundzwanzigjährige, in Wien als «Oberwildling» verschrieene Oskar Kokoschka, der um ein Jahr jüngere Maler, Literat und Kritiker Albert Paris Gütersloh und der russische Maler Wassily Kandinsky, der von München aus auf Schönberg aufmerksam wurde. In ihren Äußerungen zu Schönbergs Bildern findet sich übereinstimmend eine Apologie der Innerlichkeit, die den traditionellen Kriterien von Stil, Stoff und Technik eine nebensächliche Rolle zuweist. Güterslohs scharfsinniger Essay «Schönberg der Maler» (1912) fordert für die Kunst eine Rückkehr zu den Urformen des Malens und Empfindens und glaubt, in eben jener «psychischen Primitivität» die Voraussetzungen dieser Bilder aufgespürt zu haben:

«Traurig sah mein Maler in der Organe ornamental getröstete Höhle, wohinein sich der Mensch vor der Vielheit verkrochen hat. Da erlebte er die Möglichkeit seiner Kunst. Da wandte er sich predigend, noch nicht bekehrend, an jenen zerbrochenen Menschen, lockte ihn hinaus in das multiplizierende Licht der Vielheit, und selbst vor der Höhle des intelligenten Troglodyten stehend, hob er die Farbe und damit kam eine Linie an.

Was aus dieser traurigen, stummen, beinahe hoffnungslosen Zärtlichkeit entstand, ergab seine Bilder.

Gehirnakte.

Ganz wenige haben Zutrauen zu diesen Bildern. Die meisten hassen sie beim ersten Ansehen instinktiv.

So die Maler: denn die Furcht, einmal vielleicht so malen zu müssen hat die Heiden zu Tode erschreckt.»[115]

Oskar Kokoschka nennt ihn einen «Realisten, der genau seine Visionen festhalten will»[116], während Kandinsky in Schönbergs Bildern eine «Phantastik der härtesten Materie»[117] realisiert sah: «Auf das objektive Resultat verzichtend, sucht er nur seine subjektiven ‹Empfindungen› zu fixieren und braucht dabei nur die Mittel, die ihm im Augenblicke unvermeidlich erscheinen. Nicht jeder Fachmaler kann sich dieser Schaffensart rühmen! Oder anders gesagt: unendlich wenige Fachmaler besitzen diese glückliche Kraft, zeitweise diesen Heroismus, diese Entsagungsenergie, welche allerhand malerische Diamanten und Perlen, ohne sie zu beachten, ruhig liegen lassen oder sie gar wegwerfen, wenn sie sich ihnen von selbst in die Hand drücken.»[118]

«Haß» (Ausschnitt). Ölskizze von Arnold Schönberg, um 1908. Privatsammlung, San Francisco

Doch weder die publizistische Unterstützung seiner Freunde noch der energische Bittbrief an Direktor Hertzka erweckten das Interesse zahlungswilliger Käufer; niemand wollte die kleinen, aus Kostengründen auf billigen Karton gemalten *Phantasien* erwerben, und die wenigen großformatigen Porträts auf Leinwand, sehr traditionell in recht gezwungenen Posen, die wahrscheinlich bei ihm bestellt worden sind, blieben halbfertig liegen. Um 1912 gab Schönberg die Malerei auf und zeichnete seitdem nur noch gelegentlich in Tusche oder Blei, vor allem Skizzen, Karikaturen und szenische Entwürfe. Die zahlreichen Selbstbildnisse, die noch bis 1940 entstanden, wirken ambitionslos und zum Teil sehr unbeholfen; in ihrer rührenden Naivität sind sie Dokumente sehr privaten Charakters.

63

«Erinnerung an Oskar Kokoschka». Gemälde von Arnold Schönberg, 1910. Nachlaß, Los Angeles

Im Juni 1911 beschäftigte sich Wassily Kandinsky mit dem Plan, in einem Almanach die wichtigsten Formen zeitgenössischer Kunst und ihre Quellen zu dokumentieren. Nicht nur die Situation der Malerei und der Plastik, auch Literatur und Musik sollten von prominenten, progressiven Vertretern ihres Fachs dargestellt werden. «Schönberg muß über deutsche Musik schreiben»[119], erklärte er seinem Freund Franz Marc, dem er die Mitherausgeberrolle zugedacht hatte, schon in einer der ersten Entwurfsskizzen zu dem Unternehmen. Schönberg schickte zunächst die Vertonung des Maeterlinck-Gedichts *Herzgewächse für Sopran, Celesta, Harmonium und Harfe*, das im Almanach als Autograph reproduziert wurde, und zwei kurze Lieder seiner Schüler Berg und Webern; statt des erwarteten Situationsberichts über das moderne deutsche Musikschaffen schrieb er in dem eigenwilligen Essay *Das Verhältnis zum Text* eine schaffenspsychologische Studie über Liedkomposition und Programmusik, in der er gegen illustratives Komponieren entlang der *Oberfläche der eigentlichen Wortgedan-*

ken[120] polemisierte und eine äußerliche Identität von Gedicht und Musikstück verwarf zugunsten musikalischer Inspiration aus der Gesamthaltung des Texts:

Kein Mensch zweifelt daran, daß ein Dichter, der einen historischen Stoff bearbeitet, sich mit der größten Freiheit bewegen darf und daß, wenn ein Maler heute noch Historienbilder malen wollte, er nicht genötigt wäre, mit einem Geschichtsprofessor zu konkurrieren. Weil man sich an das zu halten hat, was das Kunstwerk geben will und nicht an das, was ein äußerer Anlaß ist. Weil also auch bei allen Kompositionen nach Dichtungen die Genauigkeit der Wiedergabe der Vorgänge für den Kunstwert ebenso irrelevant ist, wie für das Porträt die Ähnlichkeit mit dem Vorbild ... Hat man das eingesehen, so ist es auch leicht zu begreifen, daß die äußerliche Übereinstimmung zwischen Musik und Text, wie sie sich in Deklamation, Tempo und Tonstärke zeigt, nur wenig zu tun hat mit der innern und auf derselben Stufe primitiver Naturnachahmung steht wie das Abmalen eines Vorbildes. Und daß scheinbares Divergieren an der Oberfläche nötig sein kann wegen eines Parallelgehens auf einer höheren Ebene.[121]

Als sich Kandinsky und Marc mit einigen Malerfreunden 1911 von der Neuen Künstlervereinigung München (NKV) trennten und eine Gegen-Ausstellung ihrer Arbeiten unter dem Namen «Der Blaue Reiter», der zunächst für den Almanach vorgesehen war, in der Münchner Galerie Heinrich Thannhauser arrangierten, wurde auch Schönberg zur Beteiligung eingeladen. Er schickte sein *Selbstbildnis in Rückenansicht* und einige *Visionen*, worauf Kandinsky in einem begeisterten Brief den «romantisch-mystischen Klang»[122] dieser Bilder lobte; doch fand sein Urteil nicht die ungeteilte Zustimmung aller Malerkollegen. Franz Marc blieb skeptisch, und August Mackes Reaktion auf Schönbergs Bilder beweist unverhohlenen Zweifel und Abneigung: «Und jetzt noch der Schönberg! Der hat mich direkt in Wut versetzt, diese grünäugigen Wasserbrötchen mit Astralblick. Gegen das Selbstporträt von hinten will ich nichts sagen, aber sind diese paar Bröckchen das Geschrei um den ‹Maler› Schönberg wert?»[123]

Der «Blaue Reiter» war, im Gegensatz etwa zur Dresdener «Brükke», keine festgefügte Gemeinschaft, keine Schule, die durch einen einheitlichen Stil zusammengehalten wurde. Sein gemeinsamer Nenner basierte auf der weltanschaulichen Grundhaltung eines philosophischen und kunsttheoretischen Idealismus, der im Namen des Geistes der Materie eine schroffe Absage erteilte. Wenn Kandinsky ausrief «Stellen wir uns auf den Boden des Innerlichen!»[124] und vom Künstler forderte, sein inneres Ohr vor den Mund der Seele zu halten, wird deutlich, in wie hohem Grad Verinnerlichung als Mittel künstlerischer Aneignung empfohlen wird. Kandinskys Philosopheme, die entscheidend durch Hegel, Nietzsche, Bergson und die Theosophie geprägt wurden, waren in vielen Zügen, die bis in das Vokabular hineinreichen, mit Schönbergs Auffassungen identisch, die «innere Notwendigkeit» erscheint in den Theorien beider Künstler als zentrale Kategorie, so daß ihre Freundschaft, «eine der erstaunlichsten Konjunktionen am Firmament des zwanzigsten Jahrhunderts» (H. H. Stuckenschmidt)[125], weit eher konsequent denn erstaunlich anmuten kann.

Die in der *Harmonielehre* dargelegte Auffassung, daß sogenannte Dissonanzen nur weit auseinanderliegende Konsonanzen seien, wurde von Kandinsky und Marc auf das Medium der Malfarben übertragen. «Eine Idee, die mich heute beim Malen unaufhörlich beschäftigt und die ich in der Malerei so anwende: Es ist durchaus nicht erforderlich, daß man die Komplementärfarben wie im Prisma nebeneinander auftauchen läßt, sondern man kann sie so weit man will ‹auseinanderlegen›. Die partiellen Dissonanzen, die dadurch entstehen, werden in der Erscheinung des ganzen Bildes wieder aufgehoben, wirken konsonant (harmonisch), sofern sie in ihrer Ausbreitung und Stärkegehalt komplementär sind» (Franz Marc, 1911)[126].

Der Einfluß, den Schönbergs harmonische Prinzipien im «Blauen Reiter» als der Keimzelle moderner Malerei für eine apologetische Absicherung des Schaffens als auch für die malerische Praxis ausübten, kann kaum hoch genug veranschlagt werden.

ERSTE BÜHNENWERKE

Als 1911 die angekündigte *Harmonielehre* bei der Universal-Edition in Wien erschien, wurde das Werk von vielen als eine theoretische Fundierung der neuen Klangformen oder zumindestens als Unterweisung zur Komposition im tonartfreien Raum erwartet. Wer aber Schönberg kannte, wußte, daß es nicht in seiner Absicht lag, etwas Derartiges geben zu wollen; den zahlreichen ästhetischen Theorien und Systemen seiner Zeit sollte nicht ein neues Werk zugesellt werden, das die alten Regeln destruierte und gleichzeitig neue aufstellte: *Zum Teufel mit allen diesen Theorien, wenn sie immer nur dazu dienen, der Entwicklung der Kunst einen Riegel vorzuschieben.*[127] Das Ziel der *Harmonielehre* blieb das gleiche wie in seinen langjährigen Kompositionskursen, als deren ausgearbeitete, gedruckte Fassung jene zu verstehen ist. Schon die Einleitung läßt an dieser selbstgewählten Beschränkung keinen Zweifel: *Wenn es mir gelingen sollte, einem Schüler das Handwerkliche unserer Kunst so restlos beizubringen, wie das ein Tischler immer kann, dann bin ich zufrieden. Und ich wäre stolz, wenn ich, ein*

«Tränen». Gemälde von Arnold Schönberg, um 1910.
Nachlaß, Los Angeles

bekanntes Wort variierend, sagen dürfte: Ich habe den Kompositions-
schülern eine schlechte Ästhetik genommen, ihnen dafür aber eine gute
Handwerkslehre gegeben.[128]

Neben der Vermittlung strengen Handwerks in Kompositionsanaly-
sen und Darstellungen musikalischer Formmittel findet der Verfasser
in dem gut fünfhundert Seiten umfassenden Werk noch genügend
Raum, um über ein breites Spektrum von Fragen, die von der Kulturkritik bis zu ethisch-moralischen Problemen reichen, zu reflektieren. Er
polemisiert gegen die starren Systeme traditioneller Lehrbücher, ge-

gen die Fragwürdigkeit von normativen Begründungen ästhetischer Phänomene und nutzt dabei die Gelegenheit, seine eigenen Auffassungen über Motive des künstlerischen Schaffens, die er als im wesentlichen triebhaft versteht, darzulegen. Wir wissen nicht, ob Schönberg die gleichzeitigen Theorien Sigmund Freuds gekannt hat; der kurze Absatz, der sich in seiner Schrift mit schaffenspsychologischen Überlegungen beschäftigt, legt erstaunliche Parallelen offen: *Das Schaffen des Künstlers ist triebhaft. Das Bewußtsein hat wenig Einfluß darauf. Er hat das Gefühl, als wäre ihm diktiert, was er tut. Als täte er es nur nach dem Willen irgendeiner Macht in ihm, deren Gesetze er nicht kennt. Er ist nur der Ausführende eines ihm verborgenen Willens, des Instinkts, des Unbewußten in ihm ... Ob es neu oder alt, gut oder schlecht, schön oder häßlich ist, er weiß es nicht. Er fühlt nur den Trieb, dem er gehorchen muß.*[129]

Auch der im gleichen Jahr publizierte Aufsatz über *Franz Liszts Werk und Wesen*[130] vertieft die These von der schöpferisch-bestimmenden Kraft des Triebhaft-Unbewußten. Durch einen fanatischen Glauben an diesen Impuls, dargestellt im Kontrast zu den *bloßen Über-*

zeugungen des *Normalmenschen*[131], sieht Schönberg Liszt in die Sphäre des großen Künstlers, des Propheten gehoben. Natürlich gibt es Einwände, gegen *Übersetzungsfehler*[132] bei der Übertragung gedanklicher Probleme in die Sprache der Musik, gegen die Vermittlung von Dichtung aus zweiter Hand und das Ersetzen der alten Form durch eine neue, was ein noch ärgerer Formalismus sei. Doch Irrtum ist ein Vorrecht des Genies; und auch wenn Liszts Werk im Laufe der Zeiten dem Vergessen anheimfallen sollte, ist Schönberg doch sicher, daß der Name Liszt überleben wird. *Er wird ein Begriff, der hohe ethische Vorstellungen erweckt. Er geht sozusagen in die Sprache über, wird Ausdrucksmittel, eine Verständigungsmöglichkeit, wenn man von den höchsten Zielen der Menschheit reden will.*[133]

Natürlich ist ein Aufsatz Schönbergs über Liszt zugleich auch einer über Schönberg, vor allem in jenen Passagen, in denen noch einmal das Plädoyer für eine Intuitionsästhetik gehalten wird, die auf den traditionellen Kanon sanktionierter Formen verzichten muß und sich ausschließlich auf das *Ausdrucksbedürfnis* gründet: *Ein richtiges Gefühl darf sich nicht abhalten lassen, immer wieder von neuem ins dunkle Reich des Unbewußten hinabzusteigen, um Inhalt und Form als Einheit heraufzubringen.*[134]

Von einigem Interesse für die geistige Landschaft des frühen Schönberg, über die aus spärlichen Berichten heute kaum etwas zu erfahren ist, muß im Zusammenhang dieses Artikels eine Aufzählung jener Männer des Geistes sein, die er für die Großen hält: Platon, Jesus, Kant, Swedenborg, Schopenhauer und Balzac. Ein Grund für diese Auswahl erscheint nicht, auch ist nicht bekannt, inwieweit Schönberg sich mit jedem dieser Denker auseinandergesetzt hat. In diesem Kontext fungieren sie vor allem als Kronzeugen gegen den von ihm verhaßten *Materialismus*, wobei ihre Wirkung aufs Leben allerdings als *unendlich gering*[135] eingeschätzt wird. Im Hinblick auf das spätere Werk Schönbergs ist von Bedeutung, daß schon zu diesem Zeitpunkt Swedenborg und Balzac erwähnt werden, die in den Gedanken an der Arbeit zur *Jakobsleiter* eine zentrale Stelle einnehmen.

Die Auseinandersetzung mit dem Problem des Unbewußten findet ihren Niederschlag in Text und Musik des Monodrams *Erwartung* op. 17, dessen Libretto Marie Pappenheim nach einer Idee Schönbergs und in enger Zusammenarbeit mit dem Komponisten verfaßt hatte. Die erste Hinwendung Schönbergs zur Bühne erfolgte in einem außergewöhnlichen Genre, das konträr zu den traditionellen Begriffen von Oper stand; eine einzige Sängerin, von einem großen Orchester begleitet, ist die alleinige Aktrice der vier Szenen. Entsprechend einfach ist der Handlungsverlauf: Eine nicht näher charakterisierte, namenlose Frau irrt durch einen nächtlichen Wald auf der Suche nach ihrem

Geliebten, um ihn schließlich erschlagen vor der Tür einer Rivalin zu finden. Der ununterbrochene Monolog im hochexpressiven «Sekundenstil» reflektiert den steten Wechsel ihrer Ängste und Hoffnungen, die Beschwörung schöner vergangener Tage wird gegen die wachsende Gewißheit des Furchtbaren gesetzt, bis das Stück am Ende der vierten Szene in einem Ausbruch gleichzeitiger Verzückung und Verzweiflung gipfelt, in dem nunmehr jeder Realitätsbezug zum factum brutum des toten Geliebten aufgegeben scheint:

> *Der Morgen trennt uns . . . immer der Morgen . . . So schwer küßt du zum Abschied . . . wieder ein ewiger Tag des Wartens . . . Oh du erwachst ja nicht mehr . . . Tausend Menschen ziehn vorüber . . . ich erkenne dich nicht . . . Alle leben, ihre Augen flammen . . . Wo bist du? . . .*
> *(Leiser:)*
> *Es ist dunkel . . . dein Kuß brennt wie ein Flammenzeichen in meiner Nacht . . . meine Lippen brennen und leuchten . . . dir entgegen . . .*
> *(In Entzücken aufschreiend, irgendetwas entgegen:)*
> *Oh, bist du da . . . ich suchte . . .*
> *(Vorhang).*[136]

Die Musik zu dem halbstündigen Werk komponierte Schönberg im Sommer 1909 in knapp zwei Wochen; sie verzichtet auf architektonische Grundprinzipien und motivische Durcharbeitung und orientiert sich in dem dramatischen Spiel ihrer Klangfarben am Ablauf des psychischen Geschehens. In aphoristischer Kürze reihen sich die unverbundenen Formpartikel: «Ein Schlag trifft Werk, Zeit und Schein. Die Kritik am extensiven Schema verschränkt sich mit der inhaltlichen an Phrase und Ideologie. Musik, zum Augenblick geschrumpft, ist wahr als Ausschlag negativer Erfahrung. Sie gilt dem realen Leiden» (Adorno).[137]

Nachdem eine in Mannheim geplante Uraufführung vom Komponisten abgelehnt wurde, weil die geforderte Orchesterbesetzung nicht eingehalten werden konnte (*Meine Musik muß, wenn sie den Unglauben überwinden können soll, unbedingt so gebracht werden, wie sie gedacht ist*[138]), kam das Werk erst 1924 unter der Leitung von Fritz Stiedry in Wien auf die Bühne. Paul Bekker, der ehemalige Musikkritiker der «Frankfurter Zeitung», der zum Intendanten des Staatstheaters Wiesbaden berufen wurde, besorgte vier Jahre später die deutsche Erstaufführung. Dazu schrieb Hans Ferdinand Redlich im «Anbruch» 1928: «Spätere glücklichere Geschlechter werden mit verwundertem Staunen von der ‹Kulturbarbarei› einer Epoche zu erzählen haben, die

70

ihren Zeitgenossen keine operettenhafte Belanglosigkeit vorenthielt, aber vierzehn Jahre brauchte, um den Mut zur Aufführung des ersten, 1909 entstandenen Bühnenwerkes eines Arnold Schönberg zu finden.»[139]

Schönbergs zweites Bühnenwerk, das *Drama mit Musik Die glückliche Hand*, op. 18, vereint in offensichtlicher Nachfolge des Wagnerschen Gesamtkunstwerks die Bemühungen des Musikers, Malers und Dichters Schönberg um eine Synthese der Kunstformen, ein Ziel, das schon einer der Hauptmeister romantischer Malerei, Philipp Otto Runge (1777–1810) mit dem Plan einer «abstracten malerischen phantastisch-musikalischen Dichtung mit Chören»[140] avisiert hatte. Im Mittelpunkt von Schönbergs kurzem Stück steht *der Mann*, als Typus des strindbergisch-einsamen Menschen, dem erotische Erfüllung und die gesellschaftliche Anerkennung seiner Arbeit versagt sind. Nachdem sich das von ihm begehrte *Weib* einem anderen zugewandt hat, gerät er in eine Grotte, *Mittelding zwischen einer Mechaniker- und einer Goldschmiedewerkstatt*[141], in der zahlreiche Arbeiter mit der Produktion von Schmuck beschäftigt sind. Unter den drohenden Mienen der Umstehenden legt er einen Goldklumpen auf den Amboß und holt nach einem gewaltigen Hammerschlag ein Diadem aus dem geborstenen Gerät: *So schafft man Schmuck!*[142] Sein erneutes Werben um die Frau wird von ihr abgewiesen, und ein durch ihren Fuß sich lösender Felsblock begräbt unter sich den Mann. Die Schlußszene zeigt ihn am Boden liegend mit einem katzenartigen Fabeltier, Symbol der Angst und Verblendung, im Nacken. Ein Chor kommentiert:

> *Die sechs Männer und Frauen*
> *(anklagend streng):*
> *Mußtest du's wieder erleben, was du so*
> *oft erlebt? Mußtest du? Kannst du nicht*
> *verzichten? Nicht dich endlich bescheiden?*[143]

In den sehr ausführlichen Regieanweisungen, die die Länge des Textes um das Vielfache überschreiten, bemüht sich Schönberg, das seiner Auffassung nach wichtigste Moment, die Vorgänge und Reflexe in der Psyche des Mannes, sichtbar werden zu lassen. Musik, Pantomime und Modulationen des farbigen Lichts entfalten sich in einem Raum, den *der Textdichter an der Oberfläche aussparen*[144] mußte.

Hinter der Fassade künstlerischer Stilisierung zeigt die Figur des Mannes deutlich autobiographische Züge, das Bild eines Künstlers, der Kostbarkeiten ohne planende Überlegung und arbeitsteilige Verfahren allein aus der Kraft seines Genies, hier versinnbildlicht durch die glückliche Hand, die den Hammer zum Schlag auf den Amboß führt, zu schaffen vermag. Im Hintergrund wird *gemein-lustige Musik* und *grelles, höhnisches Lachen einer Menschenmenge*[145] als Zeichen der Undankbarkeit und Verkennung laut, Reaktionsformen, die Schönberg im heimatlichen Wien nur allzugut kennengelernt hatte. Die erotische Verstrickung der drei Personen auf der Bühne reflektiert kaum verhüllt jenen Schock, den das Verhältnis zwischen Mathilde Schönberg und dem Maler Richard Gerstl in Schönberg ausgelöst hatte.

Noch bevor an eine Bühnenaufführung gedacht werden konnte, die an Regie und Technik äußerste Anforderungen stellt, wurde Schönberg der Plan unterbreitet, das Werk zu verfilmen. Er griff die Idee sofort auf, weil er erkannte, daß die geforderte *höchste Unwirklichkeit*[146] mit den Möglichkeiten des neuen Mediums (er dachte u. a. an Trickaufnahmen) viel leichter zu realisieren sein würde als auf der Bühne. In einem Brief an seinen Verleger präzisiert er ausführlich seine Vorstellungen und distanziert sich zugleich von den allzu deutlichen Symbolismen der Darstellung, indem er sie jetzt kurzweg negiert: *Das Ganze soll (nicht wie ein Traum) sondern wie Akkorde wirken. Wie Musik. Es darf nie als Symbol, oder als Sinn, als Gedanke, sondern bloß als Spiel mit den Erscheinungen von Farben und Formen wirken. So wie Musik nie einen Sinn mit sich herumschleppt, wenigstens nicht in ihrer Erscheinungsform, obwohl sie ihn ihrem Wesen nach hat, so soll das bloß fürs Auge klingen und jeder soll meinetwegen ähnliches dabei denken oder empfinden wie bei Musik.*[147]

1912 veröffentlichte Wassily Kandinsky im Sammelband des «Blauen Reiter» die Bühnenkomposition «Der gelbe Klang», der ein längerer Essay «Über Bühnenkomposition» vorangestellt ist. Die parallelen Absichten in den Arbeiten von Schönberg und Kandinsky sind offensichtlich, beide lassen typisierte Rollenträger in einer überwirklichen, ahistorischen Situation auftreten, beide spannen über das sparsame Skelett des Textes jene Fülle der Möglichkeiten, die sich aus der Integrierung von Musik und Farbe anbietet. Bei dem jetzigen Stand der Quellenforschung müssen die Fragen der Abhängigkeit und der Beeinflussung noch offen bleiben; Will Grohmann berichtet, daß Kandinskys Bühnenwerk 1909 entstanden ist, während Josef Rufer die ersten Ideenskizzen Schönbergs im Umkreis der *Glücklichen Hand* schon für 1908 nachweisen konnte.

Da die Form des Privatunterrichts, den Schönberg einer kleinen Schülergruppe in seiner Wohnung erteilte, ihn auf die Dauer nicht befriedigen konnte, bat er die Wiener Akademie für Musik und darstellende Kunst um eine Professur für Kompositionslehre. Bei der Haltung des offiziellen Musikbetriebs kann es kaum verwundern, daß eine Entscheidung darüber von den zuständigen Gremien immer wieder hin-

VOLKSOPER

Direktion: Markowsky — Dr. Stiedry

Telephon 16231 (Direktion), Tageskassen und Billettbestellung: Telephon 16211 (Theatergebäude)
Telephon 77318 (Rotenturmstraße, Basar) „Wiema" Babenstube 1 Bognergasse 1. Tel. 66824

Anfang ½ 8 Uhr   Dienstag den 14. Oktober 1924   Anfang ½ 8 Uhr

Festvorstellung anläßl. des Musik- und Theaterfestes der Stadt Wien

Uraufführung!

Die glückliche Hand

Drama mit Musik von Arnold Schönberg

In Szene gesetzt von Jos. Turnau*)   Musikalische Leitung: Dr. Stiedry

Ein Mann . . . . Alfred Jerger*)   Ein Herr . . . . Josef Huninger
Ein Weib . . . . Hedy Pruntzmayer*)

Sechs Frauen: Alma Kitman (Solo) sowie die Damen Brunner, Heinrich Brach, Lausch u. Kennerz
Sechs Herren: Karl Fäßl (Solo) sowie die Herren Köchel, Reindl, Trich, Ang und Gab.

Dekorationen und Entwürfe von Prof. Steinhof von der Kunstgewerbeschule, ausgeführt im Atelier u. nach
Beleuchtungstechnische Einrichtung: Inyr. Robert Beck*) — Bleuchtungskörper von der Firma Selira
& Co. Ing. Stenzer

*) Von der Staatsoper als Gäste

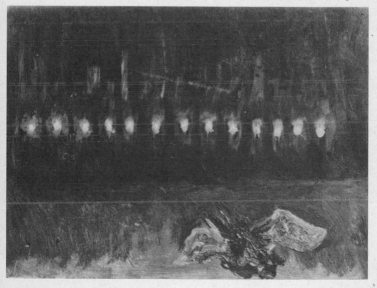

*Bühnenskizze zu «Die glückliche Hand» von Arnold Schönberg.
Vorne: das Fabelwesen, im Hintergrund der Chor. Nachlaß, Los Angeles*

ausgezögert wurde. Schönberg unterlief schließlich eine wahrscheinliche Ablehnung seines Antrags, indem er der Akademie anbot, als Privatdozent außerhalb des offiziellen Lehrangebots (und schlimmstenfalls sogar unentgeltlich) Unterricht in musiktheoretischen Fächern abzuhalten. Sein Brief an Karl Wiener, den Präsidenten der Hochschule, zeigt ganz den engagierten Lehrer, der allerdings eingesehen hat, welche Schwierigkeiten sich auf Grund seines fatalen Odiums als radikal-moderner Komponist in Wien für die angestrebte Laufbahn ergeben. Doch seine hier vorgetragene Selbsteinschätzung gestattet ihm keine Spur von Resignation, zumal er ganz sicher ist, daß die Zeit für ihn und seine Vorstellungen arbeiten wird:

Ich nehme an, Sie wissen, daß Sie keinen geeigneteren Lehrer für die Akademie finden können als mich, und könnten es nur nicht riskieren, mich zu engagieren, weil Sie sich nicht der Kritik jener aussetzen wollen, die stets vergessen, was Sie selbst schon einmal begriffen haben, und jener, die überhaupt nichts begreifen . . .

Ich denke, man wird gegen mich nur einwenden können, daß ich eine Musik schreibe, die denen, die nichts davon verstehen, nicht gefällt. Während man zugeben muß, daß sie denen gefällt, die sie verstehen (Genaugenommen steht diese Sache nur so). Und daß mein Vorbild die jungen Leute dazu bringe, ähnliches zu komponieren. Dieser Einwand ist in keiner Weise stichhaltig. Erstens habe ich tatsächlich diesen Einfluß auf Schüler nicht, und will ihn gar nicht haben. Sondern ich wirke nur auf jene in dem verpönten Sinne, die von vorneherein dazu disponiert sind, während solche, die ihrer Anlage nach gegen meine Kunst immun (= untalentiert) sind, es bleiben und sich so entwickeln, wie sie sich sonst entwickelt hätten. Nur, daß sie etwas mehr wissen. Zweitens aber wird das nicht zu hindern sein, daß die jungen Leute, die Begabten, meinem Stil nachstreben. Denn in zehn Jahren werden alle Talentierten so schreiben; gleichviel ob sie es direkt bei mir gelernt haben, oder nur aus meinen Werken.[148]

In dem offiziellen Gesuchsschreiben an die Akademie läßt ihn seine unverstellte Ehrlichkeit noch deutlicher – und massiver – werden: *Ich bin durch meine Natur auf das Lehren gewiesen und suche darum einen Wirkungskreis. Eine Akademie der Musik aber, der ich als Lehrer nicht angehöre, bedeutet für mich eine doppelte Schädigung, da sie mir einen Wirkungskreis vorenthält, der mir gebührt, und einen zu entziehen bestrebt ist, den ich schon habe. Diese passive Schädigung trifft mich, der ich mit unbestreitbarem Können nach dem Höchsten strebe, umso härter, als sie ungerecht ist.[149]*

Die Akademie holte noch Gutachten von Ferdinand Löwe, Karl Goldmark und Felix von Weingartner ein, die trotz zahlreicher Einschränkungen («Und zur äußersten Sicherheit ist ja auch noch die –

Mit Alban Berg

unmerkliche – Kontrolle des Direktors da. Also keinerlei Gefahr.»[150])
durchweg positiv ausfielen. Gustav Mahler, der ebenfalls um eine Stellungnahme gebeten wurde, antwortete: «Mit Vergnügen beantworte
ich Ihre geehrte Anfrage dahin, daß ich den Antrag des A. Schönberg
in jeder Hinsicht unterstütze. Er gehört zu jenen unbedingt Opposition, aber auch ebenso sicher Anregung und Bewegung erweckenden
Feuerköpfen, die seit jeher befruchtend und fördernd auf die Geister
gewirkt haben. Und, besonders, wenn, wie im vorliegenden Falle, eine
so eminente didaktische Begabung hinzutrete, sollte jede Verwaltung
eines Konservatoriums mit allen Händen zugreifen.»[151]

Im Herbst 1910 durfte Schönberg endlich den Unterricht in den

Räumen der Akademie beginnen; die offizielle Weihe allerdings, in der Form einer Mitgliedschaft im Kollegium der Lehrenden, blieb ihm vorenthalten. Doch auch dieser Achtungserfolg konnte seine Lage in Wien nicht verbessern, weil die Ablehnung seiner Kunst und die Zahl der persönlichen Diffamierungen ständig wuchsen. Ein Beleg dafür ist das Sonderheft, das die österreichische Musikzeitschrift «Der Merker» im Juni 1911 dem umstrittenen Komponisten widmete und in dem der Herausgeber Richard Specht, der selber zugab, «zu den neuen Schöpfungen Schönbergs vorläufig in keinerlei Verhältnis»[152] zu kommen, über die gespannte Situation zwischen dem Wiener Publikum und Schönberg berichtete. Der erklärte Wille zur Objektivität hebt Spechts Ausführungen wohltuend aus der Fülle der übrigen Pamphletliteratur: «Spricht man seinen Namen aus, so werden sich vielleicht einige der ‹Gurre-Lieder›, des Sextetts ‹Verklärte Nacht›, der symphonischen Dichtung ‹Pelleas und Melisande›, einige merkwürdiger starker, harmonisch kühner und melodisch reicher Lieder entsinnen, die beladen mit intensivem Gefühlsausdruck sind — und werden den neuen, so sehr unzugänglichen Schöpfungen Schönbergs mit abwartendem Kopfschütteln gegenüberstehen; während die andern, die ‹kompakte Majorität›, in Toben und Verwünschungen ausbricht. ‹Narr› klingts von der einen, ‹Schwindler› von der andern, ‹Spekulant› von der dritten Seite. Das liegt nicht nur an der schroffen, rücksichtslosen Art seiner letzten Werke, die alle bisherigen Begriffe von ‹Musik› in noch weit radikalerer Weise negieren als jene Debussys und der Jungfranzosen und deren Aufführung zumeist im schmachvollen Zeichen der Wiener ‹Hetz› gestanden ist; es liegt auch in mancher Schroffheit und Rücksichtslosigkeit seiner eigentlich so naiven, kindlich vertrauenden menschlichen Art, die Stöße und Schläge nicht mit ruhiger Demut hinnimmt, sondern oft Schimpf durch Schimpf kräftig erwidert hat und deren sicherlich subjektiv und einseitig gesehene und ausgedrückte, immer aber von beweglichem Geist, stolzem Selbstgefühl und empfundener Wahrheit getragenen Äußerungen seine Gegner bis zur Erbitterung beleidigt und aufgebracht haben.»[153] Spechts Analyse von Schönbergs Charakter verdient Beachtung, weil sie in knappster Form die Extreme aufdeckt, die seine Haltung seit dieser Zeit bis ins hohe Alter bestimmten. Ohne Mühe sind sie auch in den Briefen nachzuweisen, deren erste, leider unvollständige Edition Erwin Stein 1958 besorgte. Zorn, Spott und Verbitterung stehen unverbunden neben Beweisen rührender Fürsorge, Vertrauen und aufrichtiger Verehrung; er galt als äußerst empfindlich und streitbar, und seine Fähigkeit, den Gegner zu hassen, war berüchtigt. Die Enttäuschungen, Skandale und Niederlagen gingen nicht eben spurlos an ihm vorüber.

Innerhalb weniger Monate verschlechterte sich seine finanzielle

76

Lage derart, daß Schüler und Freunde sich gezwungen sahen, einen Spendenappell zu veröffentlichen, für den Alban Berg verantwortlich zeichnete. Schönberg aber hatte längst beschlossen, seine Geburtsstadt, die er liebte und die ihn nicht verstehen wollte, zu verlassen. In der Berliner Zeitschrift «Pan» erschien zu dieser Zeit der folgende Aufruf:

FÜR ARNOLD SCHÖNBERG

Der Tonsetzer Arnold Schönberg lebt in Wien. Seines Bleibens ist dort länger nicht. (Die Zeiten, da Musiker nach Wien flüchteten, sind offenbar um.) Wien, selber eine magische Musik im alten umklungenen seligen Glanz, hat etwas gegen Menschen, welche dieser Musik neue Tore zu öffnen frevelhaft genug sind. In jedem Fall wünscht Arnold Schönberg (und Freunde wünschen es mit ihm) seinen Wohnsitz nach Berlin zu legen.

Er wird hierherkommen, wenn sich genügend Schüler melden. Dies mitzuteilen ist der Zweck unserer Worte. Junge Leute, die Musik studieren, sollen sie lesen. (Reife Männer, die Musik durch die Tat fördern, auch . . .)

Wir bitten also künftige Schüler Schönbergs, ihren Namen und ihre Wohnung diese Zeitschrift wissen zu lassen.

Ferruccio Busoni   Oskar Fried
Arthur Schnabel   T. E. Clark
                        Alfred Kerr[154]

Die Niederschrift der *Sechs kleinen Klavierstücke* op. 19 und die Instrumentation der *Gurrelieder* (bis auf den Schlußchor) waren abgeschlossen, als Schönberg im Herbst 1911 nach achtjähriger Arbeit in Wien zum zweitenmal nach Berlin übersiedelte.

VOM PIERROT ZUR JAKOBSLEITER

Im November begann er die Lehrtätigkeit mit Vorträgen über Ästhetik und Kompositionslehre im Saal des Sternschen Konservatoriums, am selben Institut, das ihm schon während seines ersten Berliner Aufenthalts auf Empfehlung von Richard Strauss eine Anstellung als Kompositionslehrer geboten hatte. Die erfolglose Zeit als «Überbrettl»-Komponist schien vergessen, *Sie glauben gar nicht, wie berühmt ich hier bin*[155], schrieb er seinem Verleger nach Wien. Die Voraussetzungen für einen Neubeginn in der preußischen Metropole konnte er nicht zuletzt auf Grund der tatkräftigen Unterstützung durch Busoni, Fried und Schnabel mit einigem Recht zunächst als günstig einschätzen, obwohl auch hier mit Vehemenz Stimmen des Widerspruchs laut wurden, die in ihrer Ressentimentgeladenheit eine Reprise der gerade entflohenen Wiener Verhältnisse fürchten ließen. Zur baldigen Rückkehr wurde er in einem offenen Brief des Musikschriftstellers Walter Dahms aufgefordert: «Gegen Leute Ihres Schlages ist nur Selbsthilfe am Platze. Die denkbar schärfste und deutlichste Ablehnung Ihrer Erzeugnisse wäre im Interesse der Kunst zu wünschen. Und ich werde es als meine schönste Aufgabe betrachten, Gaukler und Humbugmacher, wie Sie, in ihrer Jämmerlichkeit bloßzustellen und dem Publikum die Augen (und Ohren) darüber zu öffnen, trotzdem dies eigentlich gar nicht nötig sein sollte . . . Also, Herr Schönberg, bei passender Gelegenheit einige gut

Die Villa Lepke in der Machnower Chaussee. Hier wohnte Schönberg während seines zweiten Aufenthalts in Berlin

funktionierende Hausschlüssel, ein paar von den beliebten Wurfgeschossen und eine kleine Sammlung, um Ihnen die schleunige Rückkehr nach Wien zu ermöglichen.»[156]

Zu Beginn des Jahres 1912 bat ihn die Diseuse Albertine Zehme um die Vertonung einiger ihrer Vortragstexte. Das hohe Honorar ließ Schönberg sofort einwilligen, allerdings nicht ohne zuvor die Zusicherung erhalten zu haben, daß er völlig selbständig die Auswahl der Gedichte, ihre musikalische Umsetzung und die Einstudierung besorgen könne. So entstand aus der Auftragsarbeit einer begüterten Leipziger Rechtsanwaltsgattin «eines der repräsentativsten Werke des Zwanzigsten Jahrhunderts» (Stuckenschmidt)[157], die *Dreimal sieben Gedichte aus Albert Girauds Pierrot lunaire*, op. 21, die Schönberg in dem kurzen Zeitraum vom 2. März bis 6. Juni 1912 komponierte; allein die Vertonung des Gedichts «Kreuze» konnte erst während des folgenden Urlaubs in Carlshagen (Usedom) fertiggestellt werden. *Habe ich oft zwei Stücke in einem Tag geschrieben*[158], bemerkt er später nicht ohne Stolz zum *Pierrot* in einem Aufsatz, der sich gegen das Epitheton «Schaffensqual» wendet, das ihn in einigen Rezensionen seines Werkes erbost hatte.

Der zur Gruppe des «Parnasse de la Jeune Belgique» gehörige Dichter Albert Giraud hatte den «Pierrot» 1884 in Brüssel veröffentlicht; acht Jahre später erschien als Privatdruck im Berliner «Verlag deutscher Phantasten» die Übersetzung von Otto Erich Hartleben, der die Vorlage Girauds als Rohmaterial für eigene poetische Variationen heranzog, die ihr Vorbild an sprachlicher Subtilität weit übertreffen. 1911 besorgte der Verlag Georg Müller in München eine auf 400 Exemplare limitierte Neuauflage des Zyklus von Giraud—Hartleben, der die Partitur von vier Pierrot-Liedern des in Münster i. W. geborenen Komponisten Otto Vrieslander beigefügt war; möglicherweise wurde diese Ausgabe von Schönberg als Vorlage herangezogen. In einer Studie zur Symbolik des *Pierrot lunaire* kommentiert Helmut Kirchmeyer die ideengeschichtlichen Voraussetzungen: «Im Pierrot-Spiegel drehen sich die bis dahin gültigen Lebens- und Kunstbeziehungen um. In der Gestalt des mondsüchtigen Narren, mochte er auch die Züge eines Hysterikers tragen, erklärte sich die Freizügigkeit und Selbstgesetzgebung künstlerischer Konstruktion gegen auf Kunst gerichtetes, naturalistisches und kausalmechanisches Denken, dessen große Verabschiedung damals begann. Alles an diesem Pierrot ist unglaubhaft, unwahrscheinlich, unmöglich, und soll es ja auch sein — und gerade das brachte dem gefesselten Künstler der Vorkriegszeit ein Stück seiner Erlösung.»[159] Unter Berufung auf eine Analyse André Schaeffners bemühte sich auch Pierre Boulez um die Rehabilitierung der in der Literatur recht negativ eingeschätzten Textvorlage, die in ihrer sentimental-ironischen Ambivalenz und dem strengen Versschema entscheidenden Einfluß auf Gestus und Struktur der Schönbergschen Kompositionen hatte. Als vielleicht prägnantestes Beispiel kann «Der Mondfleck» herangezogen werden:

> Einen weißen Fleck des hellen Mondes
> Auf dem Rücken seines schwarzen Rockes,
> So spaziert Pierrot im lauen Abend,
> Aufzusuchen Glück und Abenteuer.
> Plötzlich stört ihn was an seinem Anzug,
> Er beschaut sich rings und findet richtig —
> Einen weißen Fleck des hellen Mondes
> Auf dem Rücken seines schwarzen Rockes.
> Warte! denkt er: das ist so ein Gipsfleck!
> Wischt und wischt, doch — bringt ihn nicht herunter!
> Und so geht er, giftgeschwollen, weiter,
> Reibt und reibt bis an den frühen Morgen —
> Einen weißen Fleck des hellen Mondes.[160]

Dreimal sieben Gedichte

aus Albert Girauds

Pierrot lunaire

(Deutsch von Otto Erich Hartleben)

für eine Sprechstimme

Klavier, Flöte (auch Piccolo), Klarinette (auch Baß-Klarinette), Geige (auch Bratsche) und Violoncell.

(Melodramen)

von

Arnold Schönberg

op 21

Die in der Sprechstimme durch Noten angegebene Melodie ist (bis auf einzelne besonders bezeichnete Ausnahmen) nicht zum Singen bestimmt. Die Aufgabe des Ausführenden ist es, den Rhythmus absolut genau wiederzugeben, die vorgezeichnete Melodie aber, was die Tonhöhen anbelangt, in eine Sprechmelodie umzuwandeln, indem die Tonhöhen untereinander nach den vorgezeichneten Verhältnissen einhält. Der Unterschied zwischen Singen und Sprechen ist ... Der Zwang ... die Tonhöhe ..., die Sprechton hält sie ... verläßt sie aber sofort wieder durch Fallen oder Steigen.

Neben den frei komponierten Stücken gehört dieses Werk als ein Doppelkanon, der von seinem Mittelpunkt an im Krebsgang verläuft – und mit der Spiegelung gleichsam die Handlung in die Konstruktion mitaufnimmt –, zu den strengen, «scholastischen» Stücken des Zyklus. Seine polyphon-komplexe Struktur kommentierte Schönberg später mit dem von Hanns Eisler überlieferten, ironischen Diktum *Das ist nicht nur so hingeschrieben. Das ist ganz strenger Kontrapunkt; Konsonanzen sind nur im Durchgang oder auf schlechtem Taktteil.*[161]

Das *Pierrot*-Ensemble besteht aus fünf Solisten (Flöte/Piccolo, Klarinette/Baßklarinette, Geige/Bratsche, Cello und Klavier), deren Konstellation in jedem der 21 Stücke variiert, und einer Sprechstimme, deren Notation Schönberg in genauer Analogie zur Aufzeichnung einer Singstimme vornahm, wobei der Notenhals durch ein x gekennzeichnet wurde. Seine Vorstellungen zu dem noch unerprobten Verfahren sucht der Komponist in einem der Partitur vorangestellten Vorwort zu präzisieren:

Die in der Sprechstimme durch Noten angegebene Melodie ist (bis auf einzelne besonders bezeichnete Ausnahmen) nicht zum Singen bestimmt. Der Ausführende hat die Aufgabe, sie unter guter Berücksichtigung der vorgezeichneten Tonhöhen in eine Sprechmelodie umzuwandeln. Das geschieht, indem er

    I. den Rhythmus haarscharf so einhält, als ob er sänge, d. h. mit nicht mehr Freiheit, als er sich bei einer Gesangsmelodie gestatten dürfte;

    II. sich des Unterschiedes zwischen Gesangston und Sprechton genau bewußt wird: der Gesangston hält die Tonhöhe unabänderlich fest, der Sprechton gibt sie zwar an, verläßt sie aber durch Fallen oder Steigen sofort wieder. Der Ausführende muß sich aber sehr davor hüten, in eine «singende» Sprechweise zu verfallen. Das ist absolut nicht gemeint . . .[162]

Obwohl Schönberg die Aufzeichnung einer Einstudierung des Werkes mit der Solistin Erika Stiedry-Wagner und zahlreiche kritische Anweisungen hinterließ, stößt trotz der authentischen Dokumente die exakte Realisierung der Idee vom Sprechgesang noch immer auf Schwierigkeiten, die aus der ständig auszutragenden Spannung zwischen Sprechton (mit nicht genau zu fixierender Frequenz) und Instrumentalton resultieren. Die Beschreibung von Hans G. Helms fixiert das Ideal: «Im *Pierrot* wirken gesprochene Sprache und Musik wie Extreme einer Skala, zwischen denen der Sprechgesang vermittelt. Das beruht darauf, daß der Sprechgesang den sprachlichen Gebilden ein Maximum an musikalischen Valeurs abliest, ohne daß sie vollends in Musik umschlügen. Er erlaubt, den Text in die musikalische Struktur zu verweben, ohne seine grammatisch-semantische Struktur preisgeben zu müssen.»[163]

Bei der Uraufführung am 16. Oktober 1912 im Berliner Choralion-Saal war das kleine Orchester durch eine Wandschirmkonstruktion von der Sängerin getrennt — Schönbergs einzige Konzession an Albertine Zehme, die sich allein auf der Bühne präsentieren wollte. Salka Viertel, die Schwester des Pianisten Eduard Steuermann, der mit der Diseuse das Stück einstudiert hatte, berichtet sehr anschaulich von diesem Abend: «Als sie in einem Pierrot-Kostüm erschien, das geschminkte, ängstliche Gesicht von einer Halskrause gerahmt, die bejahrten Waden in weißen Strümpfen, wurde sie vom Publikum mit verhängnisvollem Gemurmel begrüßt. Ihr Mut, mit dem sie Gedicht nach Gedicht über die Runden brachte, ohne sich an die zischenden, jaulenden und beleidigenden Zwischenrufe gegen sie und Schönberg zu stören, war bewundernswert. Es gab auch den fanatischen Beifall der jungen Generation, doch die Mehrzahl war empört.»[164] Schönberg glaubte daraufhin, *Pierrot*-Aufführungen *vor einem ungebildeten Pu-*

blikum für sehr bedenklich[165] halten zu müssen.

Als zur gleichen Zeit das Russische Ballett Serge Diaghilews mit dem «Feuervogel» und «Petruschka» in Berlin gastierte, suchte Strawinsky den Kontakt zu Schönberg und lud ihn zu «Petruschka» ein, worauf sich Schönberg mit Karten zur vierten Vorstellung des *Pierrot lunaire* revanchierte. Aus recht kühler Distanz resümierte Strawinsky seine Eindrücke von dem Abend in den «Chroniques de ma vie» (1936): «Ich war keineswegs entzückt von dem Ästhetizismus dieses Werkes, der mir wie ein Rückfall in den längst überwundenen Beardsley-Kult vorkam.»[166] Daß ihn jenes Ereignis indes ungleich tiefer berührt hatte, zeigt seine enthusiastische Aufforderung an einen Musikerkollegen in St. Petersburg, Schönbergs neuestes Stück dort aufzuführen, da es deutlich «den außergewöhnlichen Charakter seines Genius offenbare»[167]. Eine Aufführung des *Pierrot* war übrigens auch der Anlaß eines Zusammentreffens von Schönberg mit Giacomo Puccini, der sich sehr anerkennend über das Werk des jungen Kollegen aussprach. An dieses Lob des Komponisten der «Madame Butterfly» hat sich Schönberg zeitlebens mit Stolz erinnert.

Unweit Strawinskys saß an jenem Sonntagvormittag in dem nur schwach besetzten Berliner Auditorium der vierten Aufführung der Kunstkritiker der «New York Times», James Gibbons Huneker. Er rei-

ste in diesen Jahren quer durch Europa, um seinen Lesern jenseits des Atlantik sorgfältig recherchierte Porträts von berühmten Zeitgenossen zu depeschieren, wobei Schönberg innerhalb dieser Serie für das Nonplusultra der modernen Musik einstehen sollte. Auf die erste Begegnung mit der neuen Klangwelt im *Pierrot* reagiert der Amerikaner mit physischem Schmerz: «Schönberg ist, wie ich zu mir selbst sagte, der grausamste unter allen Komponisten; denn er mischt in seine Musik scharfe, weißglühende Dolche, mit denen er winzige Scheiben aus dem Fleisch seines Opfers schneidet. Dann dreht er das Messer in der frischen Wunde, und man erbebt aufs neue, während man sich die ganze Zeit über das Schicksal des Mondpierrot wundert ... Wie weit sind wir hier von der gängigen Vorstellung entfernt, daß die Musik eine Trösterin sei, ein Freudenbringer, oder nach der aristotelischen Formel, die Seele durch Mitleid und Erschrecken reinigen solle. Ich fühlte den Schrecken, doch das Mitleid fehlte.»[168]

Eigenen Angaben zufolge benötigte Schönberg bis zur Berliner Uraufführung des *Pierrot* 25 Proben; um die Kontinuität des Unternehmens zu gewährleisten, studierte Hermann Scherchen, der bei allen Proben anwesend war und auch einige Aufführungen nachdirigierte, ein Reserve-Ensemble ein. Nach dem aufsehenerregenden Start begann eine Tournee durch Deutschland und Österreich, die bis Wien und Prag führte. In der Stuttgarter Aufführung saßen der Maler Oskar Schlemmer und Albert Burger, der Solotänzer des Hoftheaters. Beide planten eine Überwindung des erstarrten klassischen Balletts durch einen revolutionären Neubeginn, der als «Triadisches Ballett» von Schlemmer in diesem Jahr zum erstenmal skizziert wurde. Burger schrieb dem Komponisten nach Berlin, daß dessen Musik, die er soeben im *Pierrot* gehört habe, die einzig geeignete für ihre neuen Ideen sei. Schönbergs Reaktion war positiv: *Wenn Sie wirklich meine Musik kennen und deren fast absolute Abwendung vom Tanzrhythmus in Betracht gezogen haben, und halten es trotzdem für möglich, daß meine Musik mit Ihren Ideen vereinbar ist, dann halte ich es auch für möglich. Denn in dieser Hinsicht habe ich selbst Ideen fürs Theater und da wäre es mir sehr interessant, die Ihrigen kennen zu lernen.*[169]

Nachdem der Erste Weltkrieg die Kontakte zu Schlemmer und Burger unterbrochen hatte, war es der russische Tänzer Leonid Massine, der zu Beginn der zwanziger Jahre den *Pierrot* ohne Rezitativ in einer Tanzfassung auf die Bühne bringen wollte. Jetzt allerdings lehnte Schönberg ein Projekt in dieser Form als zu weitgehend ab, und er vertröstete mit einem anderen Angebot: *Eher würde ich für Massine etwas Neues schreiben – wenn auch nicht sofort.*[170]

Während der Arbeit am *Pierrot* erreichte Schönberg eine Berufung als ordentlicher Professor an die Wiener Musikakademie, an eben jenes Institut, das ihm zuvor nur äußerst widerwillig zugestanden hatte, Kurse außerhalb des Lehrplans abzuhalten. Jetzt lehnte Schönberg ab, das gebotene Gehalt war gering, und es war geplant, daß er mit zwei weiteren Kompositionslehrern Kontrapunkt und Harmonielehre unterrichten sollte, während er sich statt dessen ausschließlich dem Kompositionsunterricht widmen wollte. Der eigentliche Grund seiner Absage aber lag tiefer:

Ich kann augenblicklich noch nicht in Wien leben. Ich habe noch nicht verschmerzt, was man mir dort angetan hat, ich bin noch nicht ausgesöhnt. Und ich weiß, ich hielte es nicht zwei Jahre aus. Ich weiß, ich hätte in kürzester Zeit dieselben Kämpfe vor mir, denen ich entgehen wollte. Nicht, weil ich den Kampf fürchte, sondern, weil ich seinen Ausgang hoffe, den Ausgang, den jede Bewegung in Wien hat, die Verflachung . . .

Vielleicht wenn Sie mir jetzt grollen sollten, wie ich jetzt Wien grolle, vielleicht werden Sie in einiger Zeit milder denken, und vielleicht werde ich in einiger Zeit die Liebe zur Heimat stärker fühlen als jetzt;

85

*vielleicht werden Sie dann an mich denken und ich werde dann sicher
wieder zurück wollen. Aber jetzt kann ich nicht.*

Bitte nehmen Sie mir so wenig wie möglich übel.[171]

Die Jahre bis zum Ersten Weltkrieg waren durch Uraufführungen
und zahlreiche Reisen unterbrochen. Das Londoner Publikum erlebte
in der Queen's Hall die Premiere der *Fünf Orchesterstücke*, angekün-
digt von der «Daily Mail» als das Werk eines Komponisten, «der
Strauss in der Anwendung (oder Verachtung) der Harmoniegesetze
noch über-strausst»[172]. Der durchaus achtungsgebietende Erfolg —
«Die Hälfte des Publikums applaudierte heftiger, als die Angelegenheit
es eigentlich erlaubte» («The Times»)[173] — führte zu einer Einladung
an den Komponisten, die Wiederholung des Werkes im Januar 1914
selbst zu leiten. Konzerte in Leipzig, Amsterdam, St. Petersburg und
Prag signalisierten eine steigende internationale Anerkennung, die
durch die Uraufführung der *Gurrelieder* in Wien unter Franz Schreker
sich endlich auch in Österreich zu festigen schien. Doch bewahrten
diese Erfolge Schönberg nicht vor dem größten Skandal seiner bisherigen Laufbahn, den er einen Monat später wiederum in seiner Geburtsstadt erleben mußte. Als «Watschenkonzert» ging ein von Schönberg
geleitetes Orchesterkonzert mit Werken von Webern, Zemlinsky,
Schönberg, Berg und Mahler unrühmlich in die Spalten europäischer
Feuilletons ein, zu dem der Akademische Verband für Literatur und
Musik am 31. März 1913 in den Großen Musikvereinssaal geladen hatte. Schon das Programm wirkte auf die Mehrzahl des Publikums wie
eine Kampfansage, und bei den Klängen der *Kammersymphonie* misch-
ten sich «in das wütende Zischen und Klatschen auch die schrillen
Töne von Hausschlüsseln und Pfeifchen, und auf der zweiten Galerie
kam es zur ersten Prügelei des Abends»[174]. Während der Aufführung
von Alban Bergs «Zwei Orchesterliedern nach Ansichtskartentexten
von Peter Altenberg» erzwang ein Tumult den vorzeitigen Abbruch.
Ein Chronist berichtet: «Dadurch aber, daß Schönberg inmitten des
Liedes abklopfte und in das Publikum die Worte schrie, daß er jeden
Ruhestörer mit Anwendung der öffentlichen Gewalt abführen lassen
werde, kam es neuerlich zu aufregenden und wüsten Schimpfereien,
Abohrfeigungen und Forderungen. Herr von Webern schrie auch von
seiner Loge aus, daß man die ganze Bagage hinausschmeißen sollte und
aus dem Publikum kam pünktlich die Antwort, daß man die Anhänger
der mißliebigen Richtung der Musik nach Steinhof (die Wiener Irren-
anstalt) abschaffen müßte. Das Toben und Johlen im Saale hörte nun
nicht mehr auf. Es war gar kein seltener Anblick, daß irgendein Herr
aus dem Publikum in atemloser Hast und mit affenartiger Behendigkeit
über etliche Parkettreihen kletterte, um das Objekt seines Zornes zu
ohrfeigen.»[75] Als der Komponist des «Walzertraums», Oscar Straus,

86

von dem Gründer des Akademischen Verbandes für Literatur und Musik, Ehrhard Buschbeck, Prügel bezog, folgte ein gerichtliches Nachspiel, in dem Straus bekannte: «Auch ich habe gelacht, denn, warum soll man nicht lachen, wenn etwas wirklich komisch ist.»[176] Und der Arzt Dr. Albert enthüllte die unheilvollen Zusammenhänge zwischen Psyche und Neuer Musik, «die für einen großen Teil des Publikums entnervend und derart schädigend für das Nervensystem gewesen sei, daß viele Besucher schon äußerlich Zeichen einer schweren Gemütsdepression zeigten»[177].

Der Kriegsausbruch im August 1914 überraschte Schönberg in Berlin, wo er zunächst ungeachtet der Ereignisse und ohne an eine Übersiedlung nach Wien zu denken die Kompositionsarbeiten und den Unterricht fortsetzte. Es kann kaum verwundern, daß er sich im Gegensatz zu vielen Intellektuellen und Künstlern damals jeder politischen Stellungnahme enthielt, weil seine durch die Ideen des l'art pour l'art geprägten Vorstellungen von Kunst und Künstlertum sich entschieden jeder Form eines aktuellen sozialen und politischen Engagements verschlossen und ihm Kriegsbegeisterung wie mahnende Proteste als gleichermaßen fremd erscheinen ließen. Seine Antwort auf die Umfrage einer deutschen Studentengruppe in Prag zeigt diese demonstrative politische Abstinenz, die nicht frei ist von Zügen intellektuellen Hochmuts und ständestaatlichem Denken in einer fiktiven Aristokratie des Geistes:

Ich kann Ihnen, den Deutschen in Österreich, nichts, gar nichts sagen. Vor allem nichts Politisches.

Höchstens manchem Einzelnen, und wenn Sie wollen, können Sie das verallgemeinern. Dann also: Jeder einzelne trachte so anständig zu sein, wie er begabt ist, so bescheiden, wie er tüchtig ist und so unauffällig, wie er unbegabt ist. Denn den Deutschen in Böhmen kann, ebenso wie den Deutschen in Deutschland und den Franzosen in Frankreich, nur geholfen werden, wenn es eine genügend große Anzahl von Leuten gibt, die Ideen haben, und eine noch größere solcher, die dazu erzogen sind, den Ideen nicht mehr in der Sonne zu stehen, als unbedingt nötig ist.[178]

Die Traumwelt der «Stundenbuch»-Lyrik Rainer Maria Rilkes («und werfe mich ab und bin ganz allein / in dem großen Sturm») und eine Übertragung von Stefan George (Ernest Dowsons «Seraphita») waren die Textvorlagen der *Vier Orchesterlieder* op. 22, an denen Schönberg mit zahlreichen Unterbrechungen vom Oktober 1913 bis zum September 1916 arbeitete. Einer Sendung dieses selten gespielten Werks durch Radio Frankfurt im Februar 1932 schickte er eine ausführliche Analyse voraus, die von Hans Rosbaud verlesen wurde und in welcher er die motivische Arbeit seiner Komposition in ihrer Relation zu den Stimmungsnuancen der Texteinheiten verdeutlichte. Die Vertonung von Worten wie «wilder Sturm» und «lauter Angst» solle nicht durch eine lautmalerische Nachahmung, sondern als Reflex der Sache selbst in der musikalischen Darstellung hörbar werden, ein Verfahren, das ihn von seinen Vorgängern und vielen Zeitgenossen unterscheide und oft aus Unverständnis fälschlicherweise als Mißachtung des Textes durch den Komponisten angesehen werde. Mit ihrer überaus reichen Instrumentierung, in der unter anderem die erstaunliche Anzahl von zwanzig Holzbläsern verlangt wird, erscheinen die *Vier Orchesterlieder* wie eine Antithese zum kammermusikalischen *Pierrot*-Ensemble, wobei allerdings, hierin vergleichbar dem *Pierrot*, für jedes Lied eine ganz spezifische Kombination von Instrumenten ausgewählt wurde.

1915 übersiedelte Schönberg nach Wien, wurde gemustert, für tauglich befunden und mußte am 15. Dezember einrücken. Obwohl jede Spur eines militärischen Habitus ihm vollkommen fremd war, versuchte er, seinen Dienst so unauffällig wie möglich zu verrichten und seine Anonymität zu wahren. Von einem Vorgesetzten befragt, ob er dieser umstrittene Komponist Schönberg sei, antwortete er nach längerem Zögern: *Einer hat's sein müssen, keiner hat's sein wollen; da hab' ich mich halt dazu hergegeben.*[179] Da er in den Augen seiner Vorgesetzten «ein unmöglicher Soldat»[180] war, wurde ihm durch die Vergabe von Kompositions- und Instrumentationsaufträgen eine Art musisch-militärischer Sonderstellung zugewiesen. Im Nachlaß fand sich die Partitur eines Marsches mit dem markigen Titel *Die eiserne Brigade*, der 1916 in Bruck an der Leitha anläßlich eines Einjährigen-Kameradschaftsabends komponiert wurde; das Originalmanuskript schenkte er seinem Oberleutnant, *der das nicht zu würdigen verstand*[181]. Unterdessen ließen die Freunde Schönbergs nichts unversucht, um seine Freilassung zu erwirken: «Für einen Lehár wurde es sofort erreicht, daß er vom Militärdienst befreit wurde. Das beweist, daß es möglich ist, Schönberg zu befreien. Und alle die anderen: Reger, Pfitzner, die Komponisten, Dirigenten usw. in Wien, Berlin: kein Einziger dient.» (Anton von Webern an den Direktor der Universal-Edition.)[182] Zunächst konnte Schönbergs Versetzung in das Musikkorps des Wiener «Hoch- und Deutschmeister»-Regiments erreicht werden, welcher sich der Komponist zunächst zu widersetzen schien, weil er auf jede Sonderbehandlung verzichten wollte. Eine Petition des Wiener Tonkünstler-Vereins an das zuständige kön. ung. Honvedministerium in Budapest, die wahrscheinlich durch eine direkte Einflußnahme Béla Bartóks[183] bei den Behörden noch entscheidend unterstützt werden konnte, hatte Erfolg; Schönberg wurde im September 1916 vom Mili-

Soldat Arnold Schönberg

tärdienst befreit, rückte im folgenden Jahr noch einmal für zwei Monate Orchester-Dienst ein und wurde im Oktober 1917 endgültig entlassen.

In den Jahren des Weltkriegs hatte Wien kaum Zeit für Premierenskandale, ein Umstand, den Schönberg mit bitterer Paradoxie begrüßte, als er seinen Schwager Zemlinsky bat, eine geplante Aufführung der *Kammersymphonie* zurückzustellen: *Wundert es Dich, daß ich das aber noch ein bißchen hinausschieben möchte? Daß ich gerne noch ein*

89

wenig Ruhe hätte (das einzige Gute, das mir der Krieg gebracht hat: ich werde nicht angegriffen), daß ich meinen Frieden, solange der Krieg dauert, noch ein wenig genießen möchte? ... In Friedenszeiten – meinen Kriegszeiten – will ich gern wieder meinen Buckel hinhalten, und jeder heute Unentbehrliche soll wieder das Recht haben, sich ihn anzusehen und sich eine Stelle auszusuchen, wo ich verwundbar bin. Aber jetzt möchte ich – mehr als je – Aufsehen vermeiden.[184]

Die Tatsache, daß zwischen dem *Pierrot lunaire* (1912) und den *Fünf Klavierstücken* op. 23 (1923) mit Ausnahme der *Orchesterlieder* kein Werk Schönbergs erschienen war, mußte für lange Zeit als ein durch die Kriegsereignisse erzwungener Stillstand der musikalischen Produktion, als «biblisch lange Schaffenspause» (Adorno)[185] angesehen werden, ein Irrtum, der erst durch die Publizierung aller Pläne, Skizzenbücher und Fragmente aus dem kalifornischen Nachlaß durch Josef Rufer korrigiert werden konnte; denn mitten im Weltkrieg entstand Schönbergs bislang ausgedehntestes, ambitionsreichstes Werk, *Die Jakobsleiter*, ein Oratorium für Soli, gemischten Chor und Orchester. Die Entstehungsgeschichte der Fragment gebliebenen Komposition reicht weit zurück.

1912, nachdem die Arbeit am *Pierrot* abgeschlossen war, schrieb Schönberg an den in Blankenese bei Hamburg lebenden Dichter Richard Dehmel, dessen Gedichte er seit 1899 immer wieder vertont hatte und mit dem er persönliche Bekanntschaft schließen konnte: *Ich will seit langem ein Oratorium schreiben, das als Inhalt haben sollte: wie sich der Mensch von heute, der durch den Materialismus, Sozialismus, Anarchie durchgegangen ist, der Atheist war, aber sich doch ein Restchen alten Glaubens bewahrt hat (in Form von Aberglauben), wie dieser moderne Mensch mit Gott streitet (siehe auch: «Jakob ringt» von Strindberg) und schließlich dazu gelangt, Gott zu finden und religiös zu werden. Beten zu lernen! ... Erst hatte ich die Absicht, das selbst zu dichten. Jetzt traue ich mir's nicht mehr zu. Dann dachte ich daran, mir Strindbergs «Jakob ringt» zu bearbeiten. Schließlich endete ich dabei, mit positiver Religiosität zu beginnen und beabsichtigte, von Balzacs «Seraphita» das Schlußkapitel «Die Himmelfahrt» zu bearbeiten. Dabei ließ mich der Gedanke nicht los: «Das Gebet des Menschen von heute», und ich dachte mir oft: Wenn doch Dehmel ...!*[186]

Ein Libretto nach Schönbergs Vorstellungen kam nicht zustande, da Dehmel in seiner Antwort bedauerte, «nicht auf Bestellung dichten»[187] zu können. Er fügte allerdings seinem Brief den Text eines «Oratoriums natale – Die Schöpfungsfeier» bei, von dem er hoffte, daß Schönberg ihn für seine Zwecke werde verwenden können: «Ich würde beglückt sein, wenn dieses poetische Gebet ‹zufällig›, d. h. aus unbegreiflicher Notwendigkeit mit Ihrer musikalischen Sehnsucht übereinstimmte.

Auf der Reserveoffiziersschule in Bruck (Leitha), 1916.
Erste Reihe, zweiter von rechts: Schönberg

Ich habe, als ich es schrieb, immerfort Musik zwischen den Zeilen gehört . . .»[188] Schönberg griff zunächst den Text Dehmels auf und fügte ihn als dritten Satz in den Plan einer gewaltigen zweiteiligen *Chorsymphonie*, die, der achten Mahlers vergleichbar, stark bekenntnishaften Charakter hätte haben sollen. Verschmolz Mahler so divergierende Autoren wie Hrabanus Maurus und Goethe, so ging Schönberg mit Dehmel, Tagore und Prophetenstimmen des Alten Testaments noch darüber hinaus; für den Schlußteil endlich schrieb er selbst die Dichtung *Totentanz der Prinzipien*, einen pessimistisch-moralisierenden Monolog, der aus einer Friedhofsstille des Nichts verschiedene Lebenshaltungen auferstehen und Revue passieren läßt: Keine kann kritischer Prüfung standhalten und sich durchsetzen. Als die Turmuhr schlägt, verschwindet der beklemmende Spuk, und ein Sprecher zieht Bilanz:

Eine schale Hoffnung: man ist eben erwacht, hat heitere oder gleichgültige Traumbilder hinter sich – eigentlich keine wirkliche Hoffnung; nur: die Hoffnungslosigkeit ist für einige Augenblicke vergessen; wirklich nur vergessen. Trotzdem erfrischt sie und kräftigt: der Mensch lebt gerne und glaubt gern. Täuschung oder Vergessen genügt ihm; blind sein!

Das Dunkel weicht — — —
Aber die Sonne ist ohne Kraft.[189]

Der tiefen Skepsis, die diese Zeilen beherrscht, fiel bald das ganze Unternehmen anheim, als Schönberg den Plan zu jener Symphonie endgültig aufgab. Er begann eine Textskizze mit dem Titel *Die Jakobsleiter* (deren Verwendung er noch für den vierten Satz der *Chorsymphonie* in Erwägung gezogen hatte) als Libretto für das gleichnamige Oratorium zu bearbeiten. Von diesem Werk wurde zu Lebzeiten des Komponisten nur der Text bekannt, er wurde, gelesen von dem Schauspieler Wilhelm Klitsch, 1921 dem Publikum des Vereins für musikalische Privataufführungen vorgestellt und erschien 1926 zusammen mit anderen Dichtungen Schönbergs als *Texte* im Verlag der Wiener Universal-Edition.

Das Werk vermittelt einen Einblick in Schönbergs religiöses Denken, das bestimmt ist durch eine eigenwillige Kontamination von theosophischen und anthroposophischen Philosophemen mit der Mystik Swedenborgs und Balzacs. Eine Studie Karl H. Wörners[190] über den ideengeschichtlichen Hintergrund des Stückes kann einen Großteil der gedanklichen Komplexe dissoziieren, ohne jedoch, auf Grund der noch desolaten Situation der Quellen zu Schönbergs Vita, schlüssige

«Im Schützengraben». Zeichnung von Schönberg aus dem Ersten Weltkrieg. Nachlaß, Los Angeles

Beweise für ein Studium der genannten Literatur durch den Komponisten geben zu können. Der Hinweis Wörners, Schönberg sei wahrscheinlich über Kandinsky mit dem Ideengut des Anthroposophen Rudolf Steiner bekannt geworden, kann nach den Forschungen Sixten Ringboms[191] über die geistesgeschichtlichen Voraussetzungen der Malerei Kandinskys noch bekräftigt werden. Die Denkweise beider Künstler ist durch eine sehr verwandte metaphysische Grundhaltung bestimmt, und eine Publizierung ihrer in der Library of Congress in Washington deponierten Korrespondenz wird mit großer Sicherheit weitere Aufschlüsse über den Einfluß Kandinskys auf den Komponisten geben können.

Der Text der *Jakobsleiter* schildert, wie die Seelen unter der Leitung von Gabriel zu Gott aufsteigen. Der Erzengel treibt sie vorwärts auf dem oft qualvollen Weg der Entmaterialisierung und enthüllt ihnen schließlich die Verheißung, derer sie nur durch das Gebet teilhaftig werden können. Namenlose Aufrührer und Mönche, Ringende und Gleichgültige, Geknechtete und Zyniker repräsentieren ein typisiertes Spektrum menschlicher Lebensformen, die, wie das Beispiel der *Sanftergebenen* zeigt, sich auch in ihrer jeweiligen Sprachhaltung äußern:

Die Sanftergebenen (etwas kindisch, sehr monoton):
       – – – *und so nimmt man's auf sich wie's kommt* – – –
(immer leiser werdend; das Tempo wird immer langsamer)
       Ja, ja – – –
       ja, ja – – –
       – – – – – – – –
       Ja, ja – – – – *wie's kommt,*
       so kommt's – – – –
       ja, ja – – – – – –
       man nimmt's – – – – –
       auf sich – – – – –
       und trägt's – – – –
       – – – – – – – – – –
       wie's kommt – – – – –
       – – – – – – – – – –
       ja – – – – – – – –
       – – – – [192]

Die herausragende Figur des *Auserwählten* trägt Schönbergs eigene Züge, sie spiegelt, entsprechend dem *Mann* in der *Glücklichen Hand*, jene Diskrepanz wider, in die der Künstler Schönberg sich zeitlebens gestellt sah, den Widerspruch des inspiriert Schaffenden zu einer feindseligen, verständnislosen Umwelt. Er begriff diese Isolation als unumgängliches Resultat des Konflikts zwischen Idee und Materie und war weit davon entfernt, hierin etwa das Ergebnis sozialer Widersprüche zu sehen. Am Beispiel der *Jakobsleiter* wird deutlich, in wie hohem Grad für den Komponisten das Medium der Dichtung ein kaum verhülltes Mittel der Selbstinterpretation, eines ungehemmten Ausdrucksbedürfnisses seiner Vorstellungen, Wünsche und Zweifel war; in der Figur des *Auserwählten* personifiziert sich Schönbergs Selbstverständnis:

> *Ich sollte nicht näher, denn ich verliere dabei.*
> *Aber ich muß, so scheint es, mitten hinein,*
> *obgleich mein Wort dann unverstanden bleibt.*
> *Ob sie es wollen, ob es mich dazu treibt,*
> *weil sie mir ähneln, mit ihnen verbunden zu sein? . . .*
> *Sie sind Thema, Variation bin ich.*
> *Doch treibt mich ein andres Motiv.*
> *Treibt einem Ziele mich zu.*
> *Welchem? Ich muß es wissen! Hinüber!*
> *Mein Wort laß ich hier,*
> *müht euch damit!*
> *Meine Form nehm ich mit, sie steh euch indes voran,*
> *bis sie wieder mit neuen Worten — wieder den alten —*
> *zu neuem Mißverständnis in eurer Mitte erscheint.*[193]

Die Particellskizze des ersten Teils wurde in der erstaunlichen Zeit von nur drei Monaten niedergeschrieben. Dann unterbrach abermals Wehrdienst die Kompositionsarbeit, und neben der bezeichnenden Textstelle *So ist dein Ich gelöscht* notierte er: *19. 9. 1917 eingezogen zum Militär.*[194] Obwohl Schönberg sich bereits im Dezember des gleichen Jahres wieder an die Arbeit begeben konnte, ging das Werk mit der Aufzeichnung von einzelnen Themenskizzen jetzt nur stockend vorwärts und wurde 1922 schließlich abgebrochen; er habe den Faden verloren, schrieb er an Zemlinsky. Erst 1944 griff er das Werk noch einmal auf, überarbeitete die frühere Niederschrift, versuchte die Komposition fortzusetzen und reduzierte die großangelegte Instrumentierung. Zwei Wochen vor seinem Tod bat er seinen Schüler Karl Rankl um die Fertigstellung der Partitur, eine Aufgabe, die Rankl nach dem Hinscheiden des Komponisten zurückgab und die Winfried Zillig übernahm. Im Rahmen des 10. Internationalen Musikfestes der Wiener Konzerthausgesellschaft wurde *Die Jakobsleiter* 1961 uraufgeführt.

Die gegenüber den Kühnheiten der atonalen Phase gemäßigte Harmonik, die zum Teil noch hinter die *Kammersymphonie* zurückzuwei-

94

Schönberg und Alexander von Zemlinsky. Prag, 1917

sen scheint, wäre nur aus der Enge evolutionistischer Anschauung als
konservativ zu begreifen. Zwar geht Schönberg oft hinter schon
Erreichtes zurück, doch nur, um sich damit Raum für neue Prinzipien
in der Konstruktion zu schaffen. So bringt Zillig in seinem ausführlichen Rechenschaftsbericht den Nachweis, daß Schönberg mit den
sechs Tönen des Ostinato, mit denen das Particell beginnt, die Gesetze
einer neuen Ordnung des Materials zu finden bemüht war, in denen
bereits Umkehrung und Krebs eine wichtige Rolle spielten und er mit
den sich über dem Ostinato aufbauenden Harmonietönen zu einem
Zwölftonkomplex gelangt ist: «Aber Schönberg sieht dies nicht,
beachtet also auch nicht die Möglichkeiten, die sich daraus ergeben
könnten, ja müßten.»[195] Nachdem Schönberg in den folgenden Jahren
die Prinzipien der Reihenkomposition erkannt und festgelegt hatte,
konzentrierte er sich ganz auf ihre Anwendung und die theoretische
Absicherung, doch den neuen Gesetzen konnten sich die bereits komponierten Teile der *Jakobsleiter* nicht mehr einfügen.

Als ein halbes Jahr vor Kriegsende der Familie die kleine Wohnung in der Gloriettegasse am Schloßpark von Schönbrunn gekündigt wurde und das Geld für die zunächst geplante Einquartierung in einer Stadtpension fehlte, zog man in das geräumige Hochparterre einer Gründerzeitvilla im dreißig Bahnminuten entfernten Mödling, wo Schönberg schon als Sechsundzwanzigjähriger einen Arbeitergesangsverein geleitet hatte. Um die Versorgung der Familie stand es schlecht, da die spärlichen Honorare aus dem Notenverkauf und den Privatstunden nicht für die Beschaffung von Kohlen und Lebensmitteln ausreichten. Zwar hatte ein amerikanischer Verleger 5000 Dollar für die Rechte an zehn Aufführungen der *Gurrelieder* geboten, doch die Angelegenheit zerschlug sich, weil Schönberg erst nach Erhalt der vollen Summe das Risiko der Übersendung der Partitur eingehen wollte. Eine Sammelaktion, die von seinem Schüler Erwin Stein unter Freunden und Mäzenen veranstaltet wurde und die Überweisung von Zinsen aus der Mahler-Stiftung halfen zunächst weiter.

Schon 1917 hatte Schönberg mit Eugenie Schwarzwald vereinbart, in den Räumen ihrer Schule ein Seminar für Komposition abzuhalten, dessen Form einer offenen Werkstatt in bewußtem Gegensatz zu dem straffgeführten Unterricht der Konservatorien und Akademien geplant war. Schönbergs Abneigung gegen die *Verfütterung «fertigen» Wissens und «greifbaren» Könnens*[196] findet ihren Niederschlag in einem zukunftsweisenden didaktischen Modell, das im Gründungsaufruf erläutert wird: *Es soll an diesem Seminar nichts fehlen, was der Schüler sonst beim Lehrer lernen kann; er wird keineswegs weniger erfahren, es werden eher mehr Gegenstände sein. Aber abgesehen davon, daß er sie nach seiner Neigung und Begabung wählt, soll hier das stattfinden, was nach meinen Erfahrungen bei meinem Privatunterricht am meisten Erfolg erzielte: ein beständiger und zwangloser Verkehr zwischen mir und meinen Schülern. Ich werde ihnen zu gewissen Stunden regelmäßig zur Verfügung stehen, mich mit ihnen über Fragen, die sie mir vorlegen, auseinandersetzen, wir werden musizieren, analysieren, diskutieren, suchen und finden. Sie werden kommen, wenn sie Lust haben und gerade nur ebensolang bleiben; und es wird an mir liegen, ihre Neigung zu erhöhen, ihre Begabung zu fördern. Sie sollen nicht fühlen, daß sie lernen, sie werden vielleicht arbeiten, vielleicht sogar sich plagen, aber es nicht merken. Sie sollen dort so sein, wie die Malschüler einstens in den Maler-Ateliers zu Hause waren, wenn sie aus Neigung für diese Kunst und aus Achtung vor diesem Meister sich bemühten, bei ihm Aufnahme zu erlangen.*[197]

Alban Berg berichtet, daß zur Gründungsversammlung etwa hundert Personen, «hauptsächlich Weiber»[198], erschienen waren, doch habe das gezahlte Honorar nicht den Erwartungen entsprochen; Schönberg hatte die Bemessung des Beitrags dem einzelnen Teilnehmer selbst überlassen, mit der Folge, daß jenes in der Mehrzahl durchaus wohlhabende Publikum nur «schandbare Beträge»[199] zeichnete. Als zudem der Interessentenkreis schnell zu schrumpfen begann, vermutlich weil die mit dem Namen Schönberg assoziierten Erwartungen von Radikalität und Sensation ausblieben, brach er, wie schon 1905, das Seminar in den Schwarzwald-Schulen ab und begann in seiner Mödlinger Wohnung einen Gruppen- und Einzelunterricht, der ergänzt wurde durch einen jour fixe am Sonntagmorgen, zu dem sich zwanglos alle Freunde und Schüler einfanden. Neben Zemlinsky und Berg war auch Webern ein häufiger Gast, der mit seiner Familie eigens nach Mödling umgezogen war, um in Schönbergs Nähe zu sein. Im Streit um die Gunst des Meisters waren Eifersüchteleien und wochenlange Zerwürfnisse in der Gruppe keine Seltenheit, und mit Befremden spricht der englische Musikologe und Schönberg-Schüler Wellesz von der schwer begreiflichen Unterwürfigkeit Bergs und Weberns.

Zu der in diesen Jahren ständig wachsenden Zahl neuer Schüler gehörten Hanns Eisler, Erwin Ratz, Hans Erich Apostel, Winfried Zillig, Josef Rufer und Erwin Stein, die meist zweimal wöchentlich zum Unterricht nach Mödling hinausfuhren. «Wir versammelten uns im Arbeitszimmer Schönbergs; es war ein Eckzimmer, in dem ein Klavier und ein Harmonium stand. Es wurde viel gesprochen, warum Reger das schlecht gemacht hat, warum Bach besser. Schönberg verstand es meisterhaft, einen Beethovenschen Sonatensatz zu erklären. Dabei hat er unentwegt geraucht, immer nur halbe Zigaretten» (Apostel).[200] Als Lehrer hielt Schönberg zeitlebens an der Analyse der Klassiker als unverzichtbarer Grundlage für das Studium der Neuen Musik fest; kein Schüler durfte ihm eine moderne Komposition einreichen, der nicht zuvor nachgewiesen hatte, daß er auch einen Quartettsatz im Stil der Alten zu schreiben vermochte.

Das Ende des Krieges und der Zusammenbruch der Habsburger Monarchie bedeuteten für ihn den schmerzhaften Verlust der alten Ordnung, *die Umstürzung all dessen, woran man früher geglaubt hat*[201]; mit Abscheu hörte der antidemokratische, Massenbewegungen zutiefst verachtende Monarchist Schönberg die Signale einer neuen Epoche, die sich mit Demonstrationen, Straßenkämpfen und Streiks ankündigte und ihm den *Besitz vernünftiger fünf Sinne rechts und links von Bolschewismus bedroht*[202] scheinen ließ. Dennoch war er sofort bereit, die Sektion «Musik» einer Denkschrift zur Neuorganisierung des kulturellen Lebens zu übernehmen, um die ihn sein Freund Adolf Loos als Herausgeber gebeten hatte.

Vom Geld ist die Rede, von wem noch?

Mein ist das Reich der Dissonanzen . . .

. . . schrieb der 26jährige Mann seiner Brief-Liebe. Er meinte damit weniger die Musik als sich selbst. Der fast immer und von Kindheit an kranke Mann lebte in psychischen Extremen, wenn auch die Umwelt wenig davon erfuhr.

Schon als Kind mußte er den Umgang mit anderen meiden, weil ihn nach der Pockenimpfung jahrelang ein Ekzem quälte und entstellte. Er züchtete Seidenraupen, sammelte Käfer und Pflanzen und lernte Klavier spielen. Als er sieben war, starb der Vater. Die Mutter verdiente das Nötigste als Lehrerin. Zeitlebens hat der Mann die Armut der Jugend nicht vergessen und war stets bedacht, wenigstens ein Minimum an materieller Sicherheit zu erlangen. Er widmete sein Leben der Musik, vor allem der Volksmusik. Man feierte ihn als Pianisten; als Komponist stieß er bis zu seinem Tod mehr auf Ablehnung als auf Anerkennung. So mußte er lange Jahre seinen Unterhalt auf Konzertreisen durch Europa und die USA verdienen und war fast 30 Jahre lang Klavierlehrer an einer Musikakademie. Selten nur wurde sein Einkommen durch Honorare aufgebessert. Dem 25jährigen kaufte ein Verleger vier Lieder und vier Klavierstücke für 400 Kronen ab. Und für den 49jährigen war es eine Sensation, als eines seiner Streichquartette bei einem Wettbewerb in Philadelphia den ersten Preis bekam: 6000 Dollar, zu teilen mit dem gemäßigt modernen Alfredo Casella. «Ich brauche wohl nicht zu sagen, wie gelegen mir dieses Geld kam; wir können jetzt ein bißchen freier atmen», schrieb er einem Freund. Amerika war denn auch das Land, das den Emigranten im Zweiten Weltkrieg aufnahm und ihm für 3000 Dollar jährlich eine Stellung an der Columbia University bot. Aber öffentliche Anerkennung und finanzielle Sicherheit kamen zu spät: Am 22. September 1945 starb der Komponist in New York. Die Encyclopaedia Britannica von 1962 widmete ihm ganze 16 Zeilen, 7 weniger als dem Komponisten von «White Christmas», Irving Berlin. Von wem war die Rede?

(Alphabetische Lösung: 2–1–18–20–15–11)

Pfandbrief und Kommunalobligation

Meistgekaufte deutsche Wertpapiere - hoher Zinsertrag - schon ab 100 DM bei allen Banken und Sparkassen

Verbriefte Sicherheit

In diesen «Richtlinien für ein Kunstamt» plädierte Loos für die Überwindung der Kluft zwischen Volk und Künstler, eine Forderung, die in der Vergangenheit an den Monarchen und jetzt an den neuen Souverän, den demokratischen Staat, zu richten war. Den Ausweg sah Loos nicht in der staatlichen Förderung vermeintlicher Genies, sondern in der Anhebung des Wissensstandes der urteilslosen Menge und der Aufklärung aller Bürger. In Schönbergs Text werden Loos' allgemeine Postulate auf den Bereich der Tonkunst gewendet und dort in sehr konkreter Form spezifiziert; seine Überlegungen, aus deutlicher Kritik am bestehenden Musikbetrieb hervorgegangen, verraten die Scharfsicht eines Mannes vom Fach, dessen Mißerfolge für Distanz vom offiziellen Apparat gesorgt haben. Von der Schulmusik bis zum Musiktheater schlägt er in dem acht Punkte umfassenden Manifest tiefgreifende Reformen vor, die unter anderem durch die Entkommerzialisierung der auf den Massengeschmack abgerichteten Konzertveranstaltungen, durch Enteignung der Musikverlage und Aufbau einer Genossenschaft von Komponisten, die Erweiterung des Urheberrechts und eine von den Besitzverhältnissen unabhängige Ausbildungsmöglichkeit verwirklicht werden sollen. Diese Forderungen, ebenso utopisch wie unabweisbar, zielten allerdings weniger auf eine Demokratisierung der Kunstausübung und -produktion, sondern sollten, wie Schönberg hervorhebt, *die in der Volksbegabung wurzelnde Überlegenheit der deutschen Nation auf dem Gebiete der Musik . . . sichern. Noch 100 Jahre und wir haben diese Überlegenheit verloren.*[203]

Dabei verspürt er wenig Neigung, sich der Skepsis jener weitverbreiteten kulturpessimistischen Strömungen anzuschließen, deren zahlreiche Varianten entscheidenden Einfluß auf die geistige und künstlerische Produktion gewinnen konnten und wendet sich mit Schärfe gegen die *g'schmackigen Redensarten* dieser *Untergangs-Raunzer*[204], die doch nur ihren Mangel an eigener schöpferischer Begabung auf die ganze Epoche projizierten und ihm früher, wie er zugibt, leider nur allzuoft imponiert hätten. Durch ihre lähmende Kritik eine Zukunft verstellt zu sehen, zu der er als Komponist einen wichtigen Beitrag zu leisten im Begriff ist, erbost ihn bis zu beinahe tätlicher Konsequenz: *Den Spengler habe ich wenigstens nicht gelobt; aber was ich über Schenker gesagt habe, tut mir ehrlich leid; so gern ich anerkenne, so gern ich selbst beim Tadel das Lobenswerte hervorhebe: ich glaube fast, daß ich hier Unrecht tue und daß man hier ganz fest zugreifen, ja vielleicht gar hintreten muß.*[205] Musik, das war für ihn nach eigener Aussage[206] niemals eine andere als die deutsche, die mit wortloser Macht in den Himmel greifend Prunkräume des Geistes schafft und füllt, und der oft empfundenen Bedrohung ihrer Hegemonie nach dem Debakel des verlorenen Krieges glaubte er eine Entdeckung entgegenstellen zu können, die *der deutschen Musik die Vorherrschaft für die nächsten hundert Jahre sichere*[207]. Diese Entdeckung, mit der Schönberg auf einem Spaziergang mit Josef Rufer (1921) jene zitierte Gewißheit um ihre epochale Bedeutung verband, war die *Methode der «Komposition mit zwölf Tönen»*.

Die Grundlage dieser neuen Technik — von Schönberg zunächst *Komposition mit Tönen* genannt, dann präzisiert in dem Begriff *Komposition mit zwölf nur aufeinander bezogenen Tönen*, an dessen Stelle sich bald die knappere Formel «Zwölftontechnik» durchsetzte—ist eine aus den zwölf Halbtonstufen der chromatischen Skala aufgestellte Reihe, die jeden Ton nur einmal enthalten darf; ihr Aufbau wird durch die Grundgestalt, den thematischen Einfall, der Rhythmus und Abfolge gliedert, bestimmt. Die Anwendung der Reihe in der Horizontalen, als melodischer Komplex aufeinanderfolgender Töne, als auch in der Vertikalen, der Anordnung gleichzeitiger Klänge zum Akkord, konstituiert die neue Einheit des musikalischen Raumes, dessen Ordnungsprinzipien die Gesetze der überkommenen tonalen Funktionsharmonik ablösen sollten. Eine Fortentwicklung der ursprünglichen Reihe erfolgt durch die kontrapunktische Varianten Umkehrung, Krebs und Krebs der Umkehrung, wobei die so gewonnenen vier Zwölftongestalten auf jede der zwölf chromatischen Stufen transponiert werden können, so daß insgesamt 48 Modalitäten der Reihe verfügbar sind, die, melodisch und akkordisch angewandt, eine unbegrenzte Fülle möglicher Kombinationen entstehen lassen. Mit dieser Methode hatte Schönberg einen Weg eingeschlagen, der aus der Freiheit atonalen Komponierens, gekennzeichnet durch den Verzicht auf das Gravitätszentrum der Tonalität und einer daraus resultierenden *Emanzipation der Dissonanz*, zu neuen Bindungen und Gesetzmäßigkeiten führte, deren Befolgung den formalen Ablauf eines Stücks weitgehend zu sichern vermochte. Abgesehen von einer Vorlesung in der University of California in Los Angeles am 26. März 1941 (*Composition with Twelve Tones*), hat Schönberg keine ausführliche Darstellung der neuen Technik vorgelegt; sie war geplant als Kernstück eines Traktats über musikalische Logik, der jedoch nie vollendet wurde.

Zwei bislang wenig bekannte Äußerungen Schönbergs zu diesem Thema verdienen deshalb Beachtung. In einer frühen Textskizze beschäftigt er sich mit den Funktionen der Tonalität, um an späterer Stelle das Verfahren, das sie aufheben soll, an eben diesen Funktionen zu präzisieren:

Durch den Verzicht auf die formalen Vorteile des Tonalitätszusammenhangs ist die Darstellung des Gedankens etwas erschwert worden; es fehlt ihr jene äußere Abrundung und Geschlossenheit, die dieses einfache und natürliche Kompositionsprinzip besser erzielte als irgendei-

nes der anderen, gleichzeitig mitangewendeten. Allein für sich wenigstens, war keines so viel imstande; nicht die rhythmische Verwandtschaft, noch die motivische Wiederholung, noch irgendeines der kom-
plizierteren (die ja mehr auseinandertreibend sind als zusammenhal-
tend: Sequenz, Variation, Entwicklung etc.) vermochte ähnliches.
Denn in der Tonart sind Gegensätze wirksam, die binden. Es sind überhaupt fast ausschließlich Gegensätze, und das macht die starke zusam-
menfassende Wirkung. Diese zu ersetzen ist Aufgabe der

Lehre der Komposition mit 12 Tönen.[208]

*Sie steht, was die Aufteilung des musikalischen Raums anbelangt,
etwa in der Mitte zwischen der homophonen und der polyphonen
Methode.*

*Der Komponist erfindet eine Reihe, in der alle zwölf Töne vorkom-
men. Hierbei ist oft eine kleine Nachhilfe aus technischen Gründen
nötig, welche ungefähr der Arbeit entspricht, welche Brahms von
einem guten Komponisten forderte: daß er sein Thema mit Rücksicht
auf später zu erwartende Gestaltungen so modifiziere, wie es die Entwicklung verlangt. Die zugrundegelegte Zwölftonreihe, erfunden also
und nachkonstruiert auf dieselbe Weise, auf die jeder vorsorgliche
Komponist, der Hirn und Gewissen besitzt, es immer getan hat, diese
Reihe also vollbringt nun die Leistung einer Tonleiter und gleichzeitig
die eines Motives. Das heißt: Wie aus der Tonleiter die Melodien gebildet wurden, so auch hier. Wie aus der Tonleiter die Akkorde gebildet
wurden, so auch hier.*[209]

Waren in der Phase der Atonalität meist Stücke von ungewöhnlicher
Kürze entstanden, die sich oft nur dann erweitern ließen, indem man
einem Text oder Gedicht folgte, ermöglichte die Anwendung der neuen
Regeln die Entfaltung des Materials und damit die Rückkehr zu großen
Formen, in denen die Spannung von Einfall und Gesetz ausgetragen
wird. «Schönberg vermochte jetzt wieder Sonaten, Suiten, Rondos und
Variationsfolgen zu komponieren, weil er wieder richtige Themen
komponieren konnte, die von allem Anfang an ihrer Verarbeitung ent-
gegensahen» (Rudolf Stephan).[210]

Das neue Verfahren, dessen idealtypisches Modell eingangs in wenigen Sätzen skizziert wurde, kam natürlich nicht als voraussetzungslo-
ser Einfall über den Komponisten, als trouvaille, die nach spontaner
Entdeckung sofort ins Werk gesetzt werden konnte, sondern war das
Ergebnis langen Suchens mit dem Ziel, durch eine Grundreihe von
Tönen *den Aufbau meiner Musik bewußt auf einen Einheit verbürgen-
den Gedanken zu basieren, der nicht nur alle übrigen Gedanken hervorbringen, sondern auch deren Begleitung, die «Harmonien», be-*

stimmen sollte[211]. Schönberg berichtet, daß er schon im Dezember 1914 oder zu Beginn 1915 das Scherzo einer Symphonie skizzierte, dessen Thema aus zwölf Tönen bestand: *Aber das war nur eines der Themen. Der Gedanke lag mir noch völlig fern, ein solches «Grundthema» als Mittel zu benützen, Einheit in einem ganzen Werk herzustellen.*[212] — In den zwischen 1921 und 1924 entstandenen Werken konkretisiert sich das neue Verfahren, zunächst tastend, unter Verwendung von Reihen mit zum Teil mehr oder weniger als zwölf Tönen, um dann «mit geradezu akademischer Strenge»[213] in der *Suite für Klavier* op. 25 und dem *Bläserquintett* op. 26 angewandt zu werden.

Im Februar 1923 bat Schönberg zahlreiche Freunde und Schüler in sein Haus, um ihnen in einem Vortrag die Zwölftontechnik am Beispiel seiner neuesten, noch unveröffentlichten Kompositionen zu erläutern. Die Sitzung wurde von Erwin Stein protokolliert und in einer überarbeiteten Fassung nach Absprache mit Schönberg in dem Aufsatz «Neue Formprinzipien»[214] einer größeren Öffentlichkeit zugänglich gemacht. Felix Greissle berichtet, daß Anton von Webern während Schönbergs Ausführungen größte Zurückhaltung übte; erst als sein Lehrer bei der Erläuterung einiger kompositorischer Schritte einräumte, daß er nicht begründen könne, warum er das so und nicht anders gemacht habe, gab Webern, der zutiefst an ein auf Intuition gegründetes Schaffen glaubte, seine Skepsis auf. Als mit dem Bekanntwerden der neuen Lehre auch zahlreiche kritische Stimmen laut wurden, die in seinem Vorgehen einen Akt der Willkür, des seelenlosen Konstruierens oder den Rückfall in ein scholastisches System sahen, bemühte sich Schönberg um eine theoretische Absicherung, indem er seine Kompositionsmethode als logische und notwendige Konsequenz einer historischen Entwicklung darstellte, die bei *Bach (paradox ausgedrückt) als erstem Zwölftonkomponisten*[215] ihren Ausgang hat; in der Fortführung dieser legitimierenden Rückschau mühte sich die Schönberg-Schule um den Nachweis von Zwölftonkomplexen im Werk Mozarts, Beethovens, Regers und Strauss'. Indessen sind Schönbergs eigene Stellungnahmen zur *Komposition mit zwölf Tönen* durchaus nicht immer eindeutig: Einerseits bezeichnete er sie als *reine Familienangelegenheit* (ein scherzhaft gesagtes, doch ernstgemeintes Diktum) und begriff sie als eine Möglichkeit unter vielen anderen; auf der anderen Seite konnte er in voller Überzeugung ihrer säkularen Bedeutung die Prophezeiung aufstellen: *Die Zeit wird kommen, da die Fähigkeit, thematisches Material aus einer Grundreihe von zwölf Tönen abzuleiten, ein unabdingbares Erfordernis für die Zulassung in die Kompositionsklasse eines Konservatoriums sein wird.*[216]

Einen in seiner Bedeutung bis heute noch nicht absolut gesicherten Beitrag zur endgültigen Konzipierung von Schönbergs Methode der

Prag, 1917

Komposition mit zwölf nur aufeinander bezogenen Tönen leistete ein
musikalisches System, das der Wiener Komponist Josef Matthias
Hauer (1883–1959) in den Jahren 1912 bis 1919 entwickelt hatte.
Hauers «Melos»-Theorie basierte auf der Forderung, daß die zwölf
Töne der temperierten chromatischen Skala nur auf engstem Raum
und ohne Wiederholung zu verwenden seien. Aus diesem, die Bindung
der alten Tonarten überwindenden Kerngedanken erwuchs dann zu
Beginn der zwanziger Jahre seine Lehre von den 44 «Tropen» als den
eigentlichen musikalischen Bauelementen, den «Wendungsgruppen»,
die einen Kanon von insgesamt 479001600 möglichen Kombinationen bei der Bildung von Zwölftonreihen zuließen. Von der Schönberg-

Literatur ist immer wieder auf die unterschiedliche Zielsetzung in der Begründung und Entwicklung der Theorien Hauers und Schönbergs verwiesen worden, und in der Tat gibt die historische Rückschau den Blick frei auf eine fundamentale Differenz ihrer Systeme, die zwar beide zunächst in sehr verwandter Weise auf der Zwölftonreihe aufbauen, im Verlauf ihrer Entfaltung allerdings ganz diametrale Zielsetzungen anstreben: Schönberg wollte eine systematisierte Gestaltung der musikalischen Aussage, eine Überwindung der alten Tonarten durch die Neuordnung des musikalischen Raums, wobei die Bedeutung des kompositorischen Einfalls – nicht das System – das Primäre war; Hauers Theorie dagegen basiert auf der hermetischen Geschlossenheit eines überindividuellen musikalischen Kosmos, dessen strengen Gesetzen persönliche Spontaneität und Emotion fremd blieben. Als «Mystik des Perpetuum mobile-Erfinders» kritisierte Adorno in einem frühen Essay zur Apologie der Schönbergschen Zwölftontechnik[217] Hauers Konzeption, die er für «äußerlich und schematisch» hielt. Unter dem Aspekt historischer Priorität bleibt festzuhalten, daß in den Jahren des Weltkriegs, als Schönberg noch die Hypothesen einer *Komposition mit Tönen* durchspielte, Hauer bereits die Zwölftonreihe als unumgängliche Basis einer zukünftigen Musik erkannt und angewendet hatte. In einem Washingtoner Vortrag («Die Ursprünge von Schönbergs Zwölftonsystem») berichtet Egon Wellesz als unmittelbar beteiligter Zeuge über den damals entscheidenden Einfluß von Hauers Theorien auf Schönberg:

«Im Jahre 1916 bekam ich Besuch von einem Soldaten, der zu mir von einem Freund Rudolph Reti, einem Wiener Komponisten, dessen Buch über die thematischen Prozesse in der Musik Sie vielleicht gelesen haben, geschickt worden war. Dieser Soldat war ein Volksschullehrer, den seine Militärärzte als zu empfindlich für den aktiven Dienst eingestuft hatten. Sein Name war Josef Matthias Hauer. Er zeigte mir einige seiner Arbeiten. Nie zuvor hatte ich eine derartige Mischung von amateurhafter Schreibweise ohne Erfahrung in Harmonie und Kontrapunkt und Passagen von unbestreitbarer Originalität gesehen. Er erzählte mir, daß er Musik wie die alten Griechen schreiben wolle ... Hauers Kompositionen wurden in unserem kleinen Kreis bekannt und auch zu Schönberg gebracht, der zu dieser Zeit schon gelegentlich die serielle Technik angewendet hatte. Doch zweifellos waren es Hauers Zwölftonkompositionen, die ihm den Weg aus seiner Krise wiesen; sie kamen zu ihm als richtiger Impuls im richtigen Moment.»[218] Für Wellesz steht außer Zweifel, «daß er [Hauer] Schönberg zu der Grundidee, einer Reihe von zwölf Tönen als neuem Prinzip der Komposition, verhalf»[219].

Als «Wiener Prioritätsstreit» werden die Auseinandersetzungen

zwischen Schönberg und Hauer in den Annalen der modernen Musikgeschichte registriert, ein nicht ganz zutreffender Ausdruck für eine
Diskussion, in der es nur sehr peripher um die Frage ging, wer als Entdecker oder Erfinder der Zwölftontechnik zu gelten habe. Zwar war
Schönberg nach der ersten Kenntnisnahme von Hauers Theorien von
dem *peinlichen Gefühl* beschlichen worden, *daß ein anderer, der sich
auch mit dem befaßt, worüber ich bald 15 Jahre nachdenke, den Ruf
meiner Originalität gefährdet, was mich vielleicht zwingen könnte, auf
die Darstellung meiner Ideen zu verzichten, wenn ich nicht als Plagia-
tor gelten will*[220], doch nachdem beide Künstler sich die gegenseitige
Kenntnis ihrer Theorien verschafft hatten und die Karten gleichsam
offen auf dem Tisch lagen, konnte es nicht länger um die Prioritätsan-
sprüche beider an e i n e r Theorie, sondern nur noch um die Ausarbei-
tung von Differenzen zwischen zwei verschiedenen Systemen gehen.
Aus der vorzüglich dokumentierten Studie Helmut Kirchmeyers über
das Verhältnis von Hauer und Schönberg[221] wird zweifelsfrei deutlich,
daß der sogenannte Wiener Prioritätsstreit in hohem Grad eine von

außen an die beiden Protagonisten herangetragene Legende ist, während der zwischen Hauer und Schönberg um diese Fragen 1923 geführte Briefwechsel eine sachliche Klärung beider Standpunkte anstrebt und sich jeder Polemik zu enthalten bemüht. Ton, Inhalt und auch der stets unterstrichene Wille zur Diskretion lassen jene überaus große Bedeutsamkeit erkennen, die sie ihren Theorien zumessen: «Beide Komponisten verhalten sich wie zwei Kinder, die einen Gegenstand ängstlich vor ihrer Umwelt hüten – den Eindruck erhält man aus der Art, wie sie darüber sprechen und schreiben. Schließlich waren es ja keine Börsenmänner, die weltweite Finanzspekulationen ausbrüteten; aber beide tun sie so, als ginge es für sie und für andere um alles» (Kirchmeyer).[222] Hauer betont dabei immer wieder die Gemeinsamkeiten zwischen ihm und Schönberg («Ich kenne außer Ihnen keinen Musiker auf der ganzen Welt, mit dem ich mich so gerne, so absolut rückhaltlos und aufrichtig zu gemeinsamen Wirken nach außen hin vereinigen möchte»[223]) und schlägt die Gründung einer «atonalen Schule» vor, der Schönberg als Leiter vorstehen solle und in der er, Hauer, die Unterstufe übernehmen werde. Schönbergs Antwort greift zwar recht unverbindlich die Idee einer Schule auf, fordert aber fürs erste eine Art öffentlicher Bekanntmachung ihrer Standpunkte in der Form offener Briefe oder einer gemeinsamen Publikation. Seine distanzierte Höflichkeit und das vorsichtige Abweisen jedes Annäherungsversuchs entstammen nicht der Arroganz des schon ungleich erfolgreicheren Kollegen, sondern haben ihren Grund in der festen Überzeugung Schönbergs, daß *Hauers Theorien falsch* waren. Das geben Schönbergs private Notizen über Hauer nachträglich sehr deutlich zu erkennen: *Alle Gesetze, die Hauer so apodiktisch aufstellt (und die auf dem von mir ausgesprochenen Grundsatz beruhen) und so mystisch unbegründet läßt, hinter denen er so gerne kosmische Ursachen und okkulte Parallelen verborgen halten möchte – gleichviel, ob sie vorhanden oder nicht; er kennt sie auch nicht und ich ahne sie sicher mehr als er, sonst hätte ich den Grundsatz nicht aussprechen können – sind falsch.* (8. Mai 1923)[224]

Einige Monate später nimmt er wiederum die mythologisierenden Begründungen Hauers zum Anlaß, um sich noch deutlicher von ihm zu distanzieren: *Als ich im Sommer 1921 glaubte, eine Form gefunden zu haben, die alle meine Ansprüche an eine Form erfüllt, war ich beinahe einem ähnlichen Irrtum verfallen, wie Hauer: auch ich glaubte anfangs, «den einzig möglichen Weg gefunden zu haben». Es ging mir besser als Hauer: Er hatte eine Möglichkeit, ich aber den Schlüssel zu vielen Möglichkeiten gefunden ... Er suchte seine Lösung im Kosmos. Ich beschränkte mich auf das zur Verfügung stehende Menschenhirn: Das hier zu Findende mußte dem Kosmos entsprechen, wenn Hirn und*

Kosmos überhaupt etwas miteinander gemein haben ... Wozu also dieser Eifer: Es ist immer noch wahrscheinlicher, daß ein Musiker auf tonalem Weg die Geheimnisse (wenn schon nicht des Kosmos, so doch der Töne) enthülle, als daß er imstande wäre ... die Gesetze der Sternwelt einigermaßen sinngemäß anzuwenden. Ich verstehe nichts von Astronomie: aber ich weiß, welchen großen Unsinn selbst große Denker hervorbringen, wenn sie sich auf ein ihnen fremdes Gebiet begeben, z. B. auf das der musikalischen Komposition. Mir imponieren die Astronomen weniger als die Astronomie, es gibt hier sicher so wenige Könner und Wisser wie auf dem Gebiet des Kontrapunkts. Aber vor dem einen, der es so weiß wie ich den Kontrapunkt, vor diesem einen würde ich mich gerne hüten, möchte ich mich nicht gerne blamieren. Und ich glaube, mehr wird hier auch nicht zu holen sein.[225]

Diese Passagen machen deutlich, daß die persönliche Unterredung, die am 10. Dezember 1923 zwischen Hauer und Schönberg stattfand, keinerlei Konsequenzen für eine zukünftige gemeinsame Arbeit haben konnte. Ihre Wege trennten sich, und Hauer reagierte mit zunehmender Verbitterung auf den wachsenden Erfolg Schönbergs; von der Öffentlichkeit nahezu vergessen, starb er 1959 in Wien. Noch aus der Unterzeichnung seines Manifests vom «Zwölftonspiel» (1952) spricht eine fast trotzige Gewißheit:

Josef Matthias Hauer,
der Entdecker und (trotz vielen schlechten Nachahmungen!) leider immer noch der einzige Kenner und Könner der Zwölftonmusik, die nicht wie bisher «komponiert» werden kann, sondern die als älteste Sprache und höchstes Bildungsgut studiert, rein intuitiv erfaßt werden muß.
Zwölftonignoranten, lernet die Tropen![226]

Es sei noch angemerkt, daß auch Schönbergs System der Zwölftonkomposition trotz der expliziten Berufung auf die Rationalität des menschlichen Gehirns nicht frei von metaphysisch sich ausweisenden Begründungen war. Seine zukunftsweisende Definition der Einheit eines musikalischen Raums, *in dem jede Bewegung von Tönen ... in erster Linie als ein wechselseitiges Verhältnis von Klängen, oszillierenden Schwingungen aufgefaßt werden muß, die an verschiedenen Orten und zu verschiedenen Zeiten auftreten*[227], wird erläuternd in Analogie gesetzt zu der Vorstellung von Swedenborgs Himmel in Balzacs «Seraphita», in dem es kein absolutes Unten, kein Rechts oder Links, kein Vorn oder Hinten gibt. Dieser trotz seiner rückwärtsgewandten Legitimierung revolutionäre Begriff von raum-zeitlicher Relativität hatte sich im naturwissenschaftlichen Denken bereits durchgesetzt.

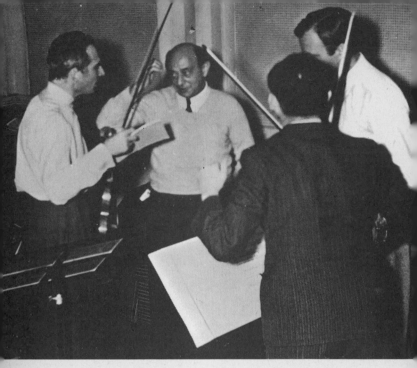

Während einer Probe mit dem Kolisch-Quartett

Die Öffentlichkeit erfuhr wenig von der Ausformung der Zwölftonmethode, von der Auseinandersetzung mit Hauer, und auch der Komponist Schönberg schien für Jahre zu schweigen; um so mehr trat er als Organisator und Interpret auf der zeitgenössischen Wiener Musikszene in Erscheinung. Noch in den letzten Kriegsmonaten, im Juni 1918, setzte er das berühmtgewordene Beispiel einer neuen Aufführungspraxis, als in zehn öffentlichen Proben die *Kammersymphonie* einstudiert und auf eine abschließende «offizielle» Aufführung verzichtet wurde. Damit war zum erstenmal Kunst nicht als gesichertes Ergebnis, sondern als problematisierter Prozeß dargestellt worden. Statt etwas Fertiges, Endgültiges zu erhalten, erfuhr der Probenbesucher in der Arbeit zwischen Interpreten und Ensemble, im Korrigieren und Diskutieren, die schrittweise Realisierung vom musikalischen Sinn einer Komposition. – Über die neunte Probe im Wiener Kleinen Konzerthaussaal berichtet Alban Berg seiner Frau Helene: «Sehr schön besucht. Zuerst eine Viertelstunde einige Stellen probiert, dann durchspielen. Dann Pause ... Vor Beginn des zweiten Durchspiels stieg Loos aufs Podium und las eine ganz kurze Skizze ‹Die kranken Ohren Beethovens›. In kurzen Worten: Nachdem Beethovens Musik den zeitgenössischen ‹Bürgern› als krankhaft erschien, d. h. sie führten sie auf kranke Ohren zurück, und sie dennoch heute dieselben Bürger begeistert, ist es nur so erklärlich, daß diese durch hundert Jahre gehörte Musik die Ohren der Bürger auch ganz krank gemacht hat. Diese voller Ironie und warmer Leidenschaft gesprochenen Worte erzeugten heftigen Applaus. Dann kam die zweite Durchspiel-Aufführung. Es ging prachtvoll! Überdeutlich! . . . Leider auch ein großer Teil Kritiker, die man nicht hindern konnte, hineinzugehen. (Sie haben Legitimationen, mit welchen sie jedes Konzert besuchen können.)»[228]

Sein erklärtes Ziel, mißliebige Pressekritiker von Aufführungen der Moderne fernzuhalten, erreichte Schönberg durch die Gründung des «Vereins für musikalische Privataufführungen» im November 1918, dessen Zielsetzungen eng mit denen des «Vereins schaffender Tonkünstler» verknüpft waren, den er 1904 zusammen mit Zemlinsky für die Dauer einer Saison ins Leben gerufen hatte. «Der Verein hat den Zweck, Arnold Schönberg die Möglichkeit zu geben, daß er seine Absicht, Künstlern und Kunstfreunden eine wirkliche und genaue Kenntnis moderner Musik zu verschaffen, persönlich durchfülle»[229], schrieb Alban Berg in einem Werbeprospekt. Die Organisationsform des Vereins war ganz auf die Person Schönbergs zugeschnitten, die umfänglichen Statuten bestimmten ihn zum Präsidenten mit unbeschränkter Amtszeit, der allein entscheidend und verantwortlich die Leitung innehatte und die Programmauswahl vornahm; alle Beschlüsse der Generalversammlung konnten erst mit der Zustimmung des Präsidenten ihre Gültigkeit erlangen. In der Öffentlichkeit wurde das Unternehmen sehr bald unter dem Namen «Schönberg-Verein» bekannt.

Während der Einstudierung und Aufführung der Werke — es gab bis zu 30 Proben und siebenfache Wiederholungen — blieben Beifallskundgebungen und Äußerungen des Mißfallens streng untersagt, «kritische Besprechungen in Zeitungen und Zeitschriften, Reklame und Propaganda waren unzulässig»[230]. Um einen möglichst gleichbleibenden Besuch zu gewährleisten, wurde der Programmablauf vorher nicht mitgeteilt. In den drei Jahren seines Bestehens konnten, wie Willi Reich[231] mitteilt, in 117 Konzerten 154 zeitgenössische Werke aufgeführt werden, wobei Schönberg erst 1920 gestattete, eines seiner Stücke in den Spielplan aufzunehmen. An einem öffentlichen, «außerordentlichen Abend» mit vier Walzern von Johann Strauß (in der Bearbeitung von Schönberg, Webern und Berg, deren Manuskripte anschließend versteigert wurden) ließ Schönberg entgegen aller Konvention sogar «frenetischen Applaus» zu, «um die Stimmung zu heben», wie Berg[232] anschließend mutmaßte. – Die Inflation in Österreich erzwang im Dezember 1921 die Auflösung des Vereins.

ÜBER RASSE UND WELTANSCHAUUNG

Holland war seit dem Anfang des Jahrhunderts, als Gustav Mahler und der Dirigent des Amsterdamer Concertgebouw-Orchesters, Willem Mengelberg, Freundschaft schlossen, eine Art exterritorialer Stützpunkt moderner österreichischer Musik geworden. 1920, als Mengelberg sein 25. Jubiläum als Dirigent dieses Orchesters feierte und im Rahmen dieser Festlichkeiten alle Symphonien Mahlers aufgeführt wurden, war auch Arnold Schönberg nach Amsterdam eingeladen. Durch Vermittlung Mengelbergs hatte er dort schon im November 1912 *Pelleas und Melisande* und kurz vor dem Ersten Weltkrieg die *Fünf Orchesterstücke* dirigieren können. Für die Saison 1920/21 blieb Schönberg in Holland. Einquartiert im nahen Zandvoort, hielt er in Amsterdam Kompositionskurse ab und dirigierte einen Zyklus seiner Orchesterwerke, als dessen abschließender Höhepunkt zwei sorgfältig einstudierte Aufführungen der *Gurrelieder* viel Beachtung fanden. Werke deutscher Komponisten waren in den europäischen Konzertsälen in der Zeit nach dem Ersten Weltkrieg als Folge eines auch auf die Kulturpolitik ausgedehnten Nationalismus nicht eben häufig, und Schönberg, der sich immer geweigert hatte, Fragen seiner Kunst mit denen der Politik zu verknüpfen, litt besonders unter diesem Verdikt, *denn ich hatte, was man in Deutschland und Österreich aufs gründlichste zu verschweigen wußte, im Ausland viel Erfolg und Anhängerschaft errungen*[223]. Jene abfälligen Urteile, die französische Komponisten wie Camille Saint-Saëns jetzt über die deutsche Musik abgaben, kränkten ihn tief. Das holländische Angebot war für ihn deshalb von besonderer Wichtigkeit, weil er mit einem Orchester von internationalem Rang um Verständnis für seine Musik werben und damit gleichzeitig den Bann um die deutsche Musik zu lockern versuchen konnte. Sein Bekenntnis in der Mengelberg-Festschrift dokumentiert eine bewundernde Hochachtung für jenen Dirigenten, dessen kompromißlose Hilfe die Schönberg-Rezeption in einer Zeit förderte, da sich nationale Vorurteile und engstirniger Antimodernismus auf verhängnisvolle Weise verbanden. *Darum halte ich es für die aufrichtigste Hochachtungsbezeugung, wenn ich sage: Ich weiß mich mit Mengelberg in Fragen unserer Kunst eins.*[234]

Auch im eigenen Land bekam er die nationalistische Reaktion in der Form eines handgreiflichen Antisemitismus zu spüren, als die Gemein-

Mit Anton von Webern und Erwin Stein. Zandvoort, 1920

deverwaltung des Ortes Mattsee, in dem er sich zum Komponieren im Sommer 1921 niedergelassen hatte und dessen Bürgermeister sogar weitläufig zu seiner Verwandtschaft zählte, nach einem wüsten Pogrom dekretierte, daß Juden der Aufenthalt in dem Ort nicht gestattet sei. Auch der Feriengast Schönberg wurde aufgefordert, durch die entsprechenden Dokumente nachzuweisen, daß er kein Jude sei. Obgleich er schon seit langem der protestantischen Kirche beigetreten war, erboste ihn dieser Schritt so sehr, daß er sofort abreisen wollte, wobei allerdings in Wien die Affäre zunächst geheim bleiben sollte und man die Lesart verbreitete, «daß Sch. das Klima nicht vertragen hat» (Berg)[235]. Die diskriminierenden Ausschreitungen von Mattsee waren das Schlüsselerlebnis für einen jetzt einsetzenden Reflexionsprozeß über die Probleme von Rasse und Weltanschauung, in dessen Verlauf sich Schönberg mit zunehmender Bewußtheit auf sein Judentum besann: *Denn was ich im letzten Jahre zu lernen gezwungen wurde, habe ich nun endlich kapiert und werde es nicht wieder vergessen. Daß ich nämlich kein Deutscher, kein Europäer, ja vielleicht kaum ein Mensch bin (wenigstens ziehen die Europäer die schlechtesten ihrer Rasse mir vor), sondern, daß ich Jude bin.*[236]

Zahlreiche Texte und Aphorismen aus dem schriftlichen Nachlaß belegen, wie intensiv er sich schon in den frühen zwanziger Jahren mit Überlegungen zur Stärkung des Judentums als Reaktion auf dessen Unterdrückung beschäftigte, als deren greifbarste künstlerische Konsequenz das Schauspiel *Der biblische Weg* entstand. Daß ihm schon frühzeitig die Gefahren des nationalsozialistischen Rassenwahns bewußt wurden, belegt eine Glosse über den Parteiführer Adolf Hitler vom Juli 1923: *Ich fragte einmal meinen Schüler Clark, ob er Schotte sei. Er hatte mir nämlich erklärt, er sei Nordengländer, und ich wußte von solchen Unterschieden nichts. Die Entrüstung, mit der er die Zugehörigkeit zu dem unterworfenen Volk der Schotten von sich wies, war ungefähr so, wie die eines Hitler wäre, wenn ich z. B. ihm mit der Zumutung käme, mit ihm in irgendeiner Hinsicht verwandt zu sein. Aber natürlicherweise wage ich sowas nicht, selbst wenn ich wirklich so hoch hinaus wollte. Ich weiß, daß ich mich damit bescheiden muß, der und das zu sein, wozu mich mein Herrgott gemacht hat, während Hitler mit Recht gar nicht wünscht, von meinem Herrgott gemacht zu sein.*[237]

Als im gleichen Jahr eine geplante, allerdings noch nicht offiziell ausgesprochene Berufung Schönbergs als Kompositionslehrer an das Bauhaus in Weimar bei dem antisemitisch eingestellten Teil der Dozenten starke Kritik hervorrief, der sich auch der Maler Wassily Kandinsky angeschlossen hatte, richtete Schönberg an den alten Freund einen langen, empörten Brief, der durch seine leidenschaftlich kämpfende Sprache und ahnungsvolle Weitsicht auf die hereinbrechende Katastrophe zu einem erschütternden Dokument wurde:

Wie kann ein Kandinsky es gutheißen, daß ich beleidigt werde; wie kann er an einer Politik teilnehmen, die die Möglichkeiten schaffen will, mich aus meinem natürlichen Wirkungskreis auszuschließen; wie kann er es unterlassen, eine Weltanschauung zu bekämpfen, deren Ziel Bartholomäusnächte sind, in deren Finsternis man das Taferl, daß ich ausgenommen bin, nicht wird lesen können! ...

Wozu aber soll der Antisemitismus führen, wenn nicht zu Gewalttaten? Ist es so schwer, sich das vorzustellen? Ihnen genügt es vielleicht, die Juden zu entrechten. Dann werden Einstein, Mahler, ich und viele andere allerdings abgeschafft sein.[238]

Vor diesem politischen Hintergrund wird auch seine Abkehr von Stefan George verständlich, *der mir von einem gewissen Zeitpunkt an nicht mehr gefiel*[239]; persönlich hatte er zwar den Dichter nie kennengelernt, doch spielte dessen Lyrik für sein kompositorisches Schaffen zwischen 1907 und 1914 als Textunterlage zu op. 10, 14, 15 und 22 eine bedeutende Rolle. Jetzt, als sich betont nationale Kreise bemühten, den Dichter für ihre Zwecke zu vereinnahmen, erinnerte sich Schön-

Hanns Eisler. Berlin, 1954

berg, daß es gerade jene heutigen Bewunderer gewesen waren, die George in der Vergangenheit abgelehnt hatten, unter anderem mit dem Argument, daß er Undeutsches schaffe, ein Jude sei und in Wirklichkeit Abeles heiße. Und er fragte sich mit ironischer Bitterkeit: *Ich wüßte nun gerne, ob das wahr ist. Denn viele der heißesten Deutschnationalen haben irgendwann, irgendwie Abeles geheißen.*[240]

Die gleiche Abscheu, die er gegen den Nationalismus hegte, erfüllte ihn auch gegen den Sozialismus. Auf die Ereignisse der russischen Oktober-Revolution reagierte er mit Verachtung und Zorn, da er die Theorien Trotzkis und Lenins für *selbstverständlich falsche*[241] hielt. Als mit dem einundzwanzigjährigen Hanns Eisler 1919 ein engagierter Sozialist in den Schülerkreis Schönbergs aufgenommen wurde, der den

113

dort kultivierten Anschauungen des l'art pour l'art entschieden widersprach, was Zemlinsky zu der Bemerkung veranlaßte, Eisler sei der einzige selbständige Kopf unter Schönbergs Schülern, waren erbitterte Streitereien um weltanschauliche Positionen die unausweichliche Folge. Schönberg, der das kompositorische Talent des jungen Eisler sofort erkannt hatte und ihn anfangs gratis unterrichtete, prophezeite mit väterlicher Nachsicht, daß dieser, wenn er zum erstenmal in seinem Leben zwei anständige Mahlzeiten am Tag haben werde und drei gute Anzüge und etwas Taschengeld, er sich auch den Sozialismus abgewöhnen werde — ein Diktum, das Eisler, der Schönberg politisch für einen «Kleinbürger ganz entsetzlicher Art»[242] hielt, zwar furchtbar erboste, zu dem er aber schwieg aus Bewunderung und Dankbarkeit gegenüber seinem Lehrer, weil er ihm Genialität zuerkannte.

Schönbergs *Abneigung gegen Demokratie u. dgl.*[244] fand zudem erneute Bestätigung in einer Einladung des Prinzen Max Egon von Fürstenberg, 1924 beim Musikfest in Donaueschingen eine Aufführung der *Serenade* zu dirigieren. Seine Antwort auf den Brief des Fürsten, aus der im folgenden zitiert wird, mutet in ihrer phrasenreichen Huldigung absolutistischer Gesellschaftsformen an wie die Ergebenheitsadresse eines barocken Hofkomponisten: *Das herrliche Unternehmen in Donaueschingen habe ich lange schon bewundert; dieses Unternehmen, das an die schönsten, leider vergangenen Zeiten der Kunst gemahnt, wo der Fürst sich schützend vor den Künstler gestellt und dem Pöbel gezeigt hat, daß die Kunst, eine Sache des Fürsten, sich gemeinem Urteil entzieht. Und nur die Autorität solcher Personen vermag, indem sie den Künstler teilnehmen läßt an der Sonderstellung, die eine höhere Macht gegeben, diese Abgrenzung allen bloß Gebildeten und Hinaufgearbeiteten sinnlich faßlich vorzuführen, und darzutun den Unterschied zwischen Gewordenen und Geborenen; zwischen denen, die mittelbar zu einer Stelle und Tätigkeit gelangt, und denen, die unmittelbar dazu geboren sind. Darf ich somit, Durchlaucht, meine größte Bewunderung für die große Tat ausdrücken, die die Donaueschinger Kammermusikaufführungen im Kulturleben darstellen, so geschieht es nicht ohne stolz zu sein auf den schmeichelhaften Ruf, durch den Sie mich ehren.*[245] Das war aus tiefer Überzeugung, nicht aus berechnender Courtoisie geschrieben, und im Licht von Äußerungen dieser Art müssen Eislers scharfe Verdikte über den politischen Horizont seines Lehrers Schönberg verstanden werden.

Die Uraufführung der *Serenade* op. 24 hatte Schönberg im Mai 1924 vor den Gästen des Wiener Mäzens Dr. Norbert Schwarzmann in dessen Privatwohnung dirigiert. Das siebensätzige Werk (Marsch, Menuett, Variation, Sonett, Tanzszene, Lied, Finale), zwischen 1921 und 1923 in zeitlicher Parallele zu den *Klavierstücken* op. 23, der *Klaviersuite* op. 25 und dem *Bläserquintett* op. 26 entstanden, schreibt mit der Besetzung von Klarinette, Baßklarinette, Mandoline, Gitarre, Geige, Bratsche und Violoncello ebenfalls die Siebenzahl in der Instrumentation vor, zu der für das Sonett im vierten Satz noch eine Baritonstimme tritt. Schon Erwin Stein weist darauf hin, daß dieser vierte Satz in enger Übereinstimmung mit den neuen Kompositionsprinzipien entstanden ist, deren noch stark schematische Anwendung Schönberg selbst als *verhältnismäßig primitiv*[246] bezeichnete. Zu der Starrheit, die die Konstruktion dieser Inkunabel der Zwölftontechnik noch bestimmt, steht konträr der serenadenhaft leichte Ton des Stücks, an dem ohne Zweifel die Besetzung mit Zupfinstrumenten einen wichtigen Anteil hat.

Im Herbst 1923 starb Mathilde Schönberg. Die stille, reservierte Frau hatte schon seit langem gekränkelt und am gesellschaftlichen Leben ihres Mannes kaum noch teilgenommen; oft zog sie sich, sobald Besuch in Mödling erschien, unter dem Vorwand, sie wünsche keine neuen Bekanntschaften zu machen, zurück in ihr Zimmer. Nach ihrem Tod lebte Schönberg für einige Zeit zusammen mit seiner Tochter Gertrud und dem Schwiegersohn Felix Greissle. Er rauchte jetzt sechzig Zigaretten am Tag, trank drei Liter schwarzen Kaffee, viel Likör und nahm Codein und Pantopon. «Schönberg war so unbeschreiblich grantig»[247], schrieb Berg damals nach einem Besuch in Mödling.

Im August 1924 heiratete er Gertrud Kolisch, die Schwester seines Schülers und Freundes Rudolf Kolisch, dessen Quartett sich für Aufführungen von Schönbergs Musik eingesetzt hatte. Zur Vorbereitung einer Hochzeitsreise nach Venedig bat Schönberg seinen Kollegen Alfredo Casella, der Italien mit dem *Pierrot* bekanntgemacht hatte, um organisatorische Unterstützung.

Zu seinem 50. Geburtstag am 13. September 1924 erschien im Verlag der Universal-Edition eine Festschrift mit Analysen, Essays, Erinnerungen und Glückwunschadressen, zu der Schönberg ein sehr persönlich gehaltenes Vorwort über den augenblicklichen Stand seines Schaffens verfaßt hatte. *Ich bin mit manchem nicht fertig geworden und habe darum weniger veröffentlicht, als geschrieben, und weniger geschrieben, als ich gedacht habe, brauche also aus der Anzahl meiner herausgegebenen Werke keinen Schluß zu ziehen.*[248] Als Pläne führt er

Um 1925

in diesem Zusammenhang an: den Ausbau der Zwölftontechnik, die Vollendung der *Jakobsleiter* und theoretische Abhandlungen über die *Gesetze der musikalischen Komposition*. Die beiden zuletzt genannten Vorhaben konnten von ihm in der Folgezeit nicht verwirklicht werden, ein bedauerliches Faktum, für das allerdings die baldige Publizierung der zahlreichen Skizzen und Entwürfe im kalifornischen Nachlaß, die zur Vorbereitung der geplanten musiktheoretischen Werke entstanden, zum Teil entschädigen könnte. Am Schluß seiner Selbstreflexion in der Festschrift beschäftigt sich Schönberg mit dem in letzter Zeit wiederholt auftauchenden Vorwurf, daß er überholt sei und zum alten Eisen gehöre; in diesen Sätzen blitzt noch einmal sein alter Sarkasmus auf, um dann einem erstaunlichen Bekenntnis Platz zu machen: *Wenn nun meine unverbesserlichen Freunde aus all dem noch nicht die Überzeugung gewonnen haben, von der unfreundlichere von vornherein ausgehen; daß ich meine Grenze erreicht habe; daß ich — ein richtiger Vorläufer — überholt bin; denn alles wird ja überholt, dank der Rüstigkeit der Mit- und Nachläufer; daß ich, mit einem Wort, dort angelangt bin, wohin mich viele im Interesse der von ihnen geplanten weiteren Entwicklung der Musikgeschichte schon längst gewünscht haben, so kann ich nicht unterlassen, ein deutliches, sich bei mir zeigendes Alterssympton zu nennen: Ich kann nicht mehr so hassen wie früher; und was noch ärger ist: ich kann manchmal schon verstehn, ohne zu verachten.*[249] Mit zahlreichen Aufführungen wurde der Komponist in Österreich und Deutschland gefeiert, und auch das offizielle Wien bequemte sich erstmals zu einer Ehrung Schönbergs im Rathaus der Stadt.

Ohne Zweifel waren Erfolg und wachsende internationale Anerkennung nicht unbeteiligt, wenn der jetzt Fünfzigjährige von sich sagte, daß er nicht mehr so hassen könne wie früher, oder, in einem Brief an den Musikkritiker Paul Bekker, *daß ich nicht mehr der wilde Mann bin, der ich war ... Ich rede von meinen eigenen Fehlern und weiß genau, warum ich oft einsamer war, als mir lieb sein konnte.*[250] Unbeirrbares Festhalten an den neuen Ideen und Unduldsamkeit gegenüber jeder Form von Kritik hatten in früheren Jahren zu einer oft blinden Unbedingtheit geführt, die jetzt durch Verständnis und Kompromißbereitschaft signalisierende Momente einer Selbstreflexion gebrochen schien. Nichts indessen könnte falscher sein als die Annahme, der späte Schönberg, der Komponist der Berliner Jahre und des kalifornischen Exils, sei abgeklärt und milde geworden; wann immer es um Fragen der Kunst ging, und das waren für ihn allemal Fragen s e i n e r Kunst, blieb er streitbar wie eh und überschüttete seine Kontrahenten mit Spott, Ironie und Bitterkeit. So entstanden bereits ein Jahr nach jenem versöhnlich gestimmten Rückblick in der Festschrift die *Drei Satiren* op.

28, Chorwerke in strengem Zwölftonsatz zu selbstverfaßten Texten, die sich, wie ein ausführliches Vorwort deutlich macht, gegen vier Gruppen zeitgenössischer Komponisten wenden:

1. *wollte ich alle treffen, die ihr persönliches Heil auf einem Mittelweg suchen. Denn der Mittelweg ist der einzige, der nicht nach Rom führt...*
2. *ziele ich auf die, die vorgeben, «zurück zu...» zu streben...*
3. *mit Vergnügen treffe ich auch die Folkloristen...*
4. *schließlich alle «...isten», in denen ich doch nur Manieristen sehen kann...*[251]

Jetzt ging es nicht länger um die Durchsetzung neuer Formen gegen die Hüter vermeintlicher Tradition, sondern um offene Richtungskämpfe innerhalb der Moderne, wobei Schönberg besonders empfindlich auf den Vorwurf reagierte, daß er von der neuesten Entwicklung der Musikgeschichte längst überholt sei. Spöttisch und kaum verschlüsselt, bedichtet er in den *Chorsatiren* Igor Strawinsky, dessen Werk die Revisionstendenzen des Neoklassizismus damals am deutlichsten verkörperte:

> *Ja, wer tommerlt denn da?*
> *Das ist ja der kleine Modernsky!*
> *Hat sich ein' Bubizopf schneiden lassen;*
> *Sieht ganz gut aus!*
> *Wie echt falsch Haar!*
> *Wie eine Perücke!*
> *Ganz (wie ihn sich der kleine Modernsky vorstellt),*
> *Ganz der Papa Bach!*[252]

Schönbergs umfangreiche Zettelsammlung, in der spontane Einfälle, Glossen, Essays und werkgeschichtliche Anmerkungen festgehalten sind, belegt an vielen Beispielen, wie intensiv er in diesen Jahren die polemische Auseinandersetzung mit gleichzeitigen musikalischen Stilformen führte; so wetterte er in diesen nicht für die Öffentlichkeit bestimmten Notizen gegen die *Dürftigkeit der Lateiner und ihrer russischen, ungarischen, englischen und amerikanischen Nachahmer*[253], deren Werke in ihm *Belästigungsgefühl bis Ekel* hervorriefen. Ebenso ungünstig beurteilte er den Einfluß des Jazz, dem sich damals von Strawinsky bis Krenek zahlreiche Komponisten öffneten; auf eine telegrafische Umfrage der «Chicago Daily News» antwortete er: *Solange es deutsche Musik gibt und man mit Recht dasselbe darunter versteht wie bisher, wird der Jazz auf sie nie größeren Einfluß ausüben als seinerzeit die Zigeunermusik; die gelegentliche Verwendung einzelner Themen*

und die Verleihung fremdländischen Kolorits an einzelne Sätze hat nie-
mals das Wesentliche, den Gedankenkreis und die Darstellungstech-
nik, verändert. Solche Anwandlungen sind einer Maskierung zu ver-
gleichen. Wer sich aber als Araber oder als Tiroler verkleidet, will das
doch nur äußerlich und vorübergehend scheinen und sobald der Mas-
kenscherz zuende ist, wieder der sein, der er vorher war.[254]

Mit großem Widerwillen hat Schönberg zeitlebens von dem Begriff
des Stils gesprochen als von etwas der Idee Übergestülptem, einem
fragwürdigen Kleid, das seinem Besitzer nach kurzer Zeit vom Leib
fällt, und in seinen Äußerungen zur Problematik von Inhalt und Form
in der Musik betonte er stets die ausschließliche Bedeutung der Idee,
welche unter dem Aspekt künstlerischer Wahrheit allein Überzeu-
gungskraft besitzen könne. So sind den *Chorsatiren* op. 28 komplizierte, bewußt tonal geschriebene Kanons beigegeben, als trotzige Demon-
stration seiner These, daß wer Reines kann, es sowohl tonal als auch
atonal ausdrücken kann oder, wie er es später einmal formulierte, die
Kompositionsmethode mit zwölf Tönen nur eine Frage der Organisa-
tion[255] ist. Als gewogen und zu leicht befunden galten ihm nicht nur
die Produzenten von Ismen aller Art für den Konzertsaal, sondern auch
die Komponisten von Volksweisen à la Silcher in ihrer forcierten
Anspruchslosigkeit, denn *deren Popularität beruht auf einem bedauer-*
lichen Massenerfolg der Trivialität[256]. Als große Ausnahmen, deren
musikalischer Ausdruck mit denen des Mannes von der Straße zusam-
menfällt und deren populäres Idiom deshalb kein Maskenspiel ist, ließ
Schönberg nur die Komponisten Jacques Offenbach, Johann Strauß
und später George Gershwin gelten.

Als durch den Tod Ferruccio Busonis im Juli 1924 eine Lehrstelle an der
Meisterklasse für musikalische Komposition in Berlin frei wurde, bot
das preußische Kultusministerium Schönberg diese Professur an. Mit
dem Satz *Anerkennung tut wohl*[257] quittierte er die Einladung, sagte
ohne Zögern zu und übersiedelte im Januar 1926 zum drittenmal in seinem Leben nach Berlin. Einen Redakteur des «Neuen Wiener Jour-
nals», der ihn anläßlich seines Fortgangs um ein Interview bat,
beschied er mit einer kurzen schriftlichen Absage, deren letzte Sätze
den ganzen Schönberg wiedergeben:
Denn es ist mein dringendes Bedürfnis, von Wien so unbeachtet zu
scheiden, wie ich es in der Zeit gewesen bin, die ich hier zugebracht
habe. Ich wünsche keine Anklagen, keine Angriffe, keine Verteidi-
gung, keine Reklame, keinen Triumph!
nur: R u h e ![258]
In den Verhandlungen mit dem Ministerium hatte Schönberg für
den Umfang seiner Lehrverpflichtungen günstige Bedingungen durch-

Dirigent Schönberg. Im Studio des Berliner Rundfunks. Anfang der dreißiger Jahre

setzen können, er brauchte jährlich nur sechs Monate in Berlin zu unterrichten, während ihm die andere Zeit für Kompositionsarbeiten, Aufführungs- und Vortragsverpflichtungen und den Urlaub zur freien Disposition gestellt wurde. Wie in Wien kamen die Schüler zum Unterricht in seine Privatwohnung, in durchaus achtbarer Zahl, doch fehlten darunter Begabungen vom Rang Weberns, Bergs oder Eislers. Um so stärker konnte er sich auf die eigene Kompositionstätigkeit konzentrieren – zeitweilig so intensiv, daß die Unzufriedenheit der Kultusbürokratie mit seiner Betreuung der Meisterklasse fast zur Vertragskündigung geführt hätte, was in letzter Minute durch eine Intervention des mit Schönberg befreundeten preußischen Ministerialrats Leo Kestenberg noch einmal rückgängig gemacht werden konnte.

Nachdem er in den *Drei Satiren* und den *Vier Stücken für gemischten*

Chor op. 27 die zwölftonige Reihentechnik auf den Vokalsatz übertragen hatte, begab er sich mit der *Suite* op. 29 und dem *III. Streichquartett* op. 30 wieder auf das Feld der Kammermusik, wobei die *Suite* – gesetzt für Klavier, kleine Klarinette, Baßklarinette, Violine, Viola und Violoncello – mit den Sätzen Ouvertüre, Tanzschritte, Thema mit Variationen und Gigue formal eine bewußte Rückkehr zu klassischen Schemata anstrebt, deren Formreflex auch für das *III. Streichquartett*, das 1927 von der amerikanischen Mäzenatin Elizabeth Sprague-Coolidge in Auftrag gegeben wurde, bestimmend wird. Nur sehr selten, wie hier bei einer Analyse des ersten Quartettsatzes, gab Schönberg die Abneigung gegen psychologisierende Deutungen seiner Musik auf, indem er von jener grausamen Vision berichtet, die ihn, wahrscheinlich unbewußt, zu diesem Satz veranlaßt habe: *Als kleiner Junge quälte mich ein Bild, das die Szene aus dem Märchen «Das Gespensterschiff» darstellt, in der der Kapitän von seiner Mannschaft an den Topmast durch den Kopf genagelt wird.*[259] Allerdings war diese Vorstellung nur der Auslöser für die Komposition, und der Hörer würde fehlgehen in dem Bemühen, jenen Satz im Sinn von Programmusik ausdeuten zu wollen; thematisiert ist hier nicht die Vision, sondern die Dialektik zwischen dem durch die Reihe begrenzten Material und den Anforderungen der klassischen Formen.

Im September 1928 konnte Schönberg die fertige Partitur der *Variationen für Orchester* op. 31 vorlegen, in der er zum erstenmal die Reihentechnik, zunächst in Vokal- und Kammermusik erprobt, auf den Apparat eines großen Orchesters überträgt; für den Bereich der reinen Orchestermusik ist es zugleich die einzige Komposition dieser Art innerhalb seines Œuvre. Die Schwierigkeit des Unternehmens lag in einem aus der Logik des Zwölftonsystems resultierenden Tabu der Anwendung von Oktavenverdopplung, wobei im Orchesterklang gerade dieses Intervall eine entscheidende Rolle spielt. Der Introduktion und dem Thema folgen neun Variationen, die einen jeweils durch Rhythmus, Klang und Auswahl der Instrumente bestimmten eigenen Charakter haben, der trotz großangelegter Instrumentierung Schönbergs eine noch immer sehr starke Affinität zur Kammermusik belegt. An drei Stellen zitiert er die aus der Grundreihe abgeleitete Tonfolge B – A – C – H als eine Huldigung an den Barockkomponisten, aus dessen Werk er nach eigener Aussage das kontrapunktische Denken gelernt hat. «Kontrapunkt und Harmonik, die Logik der Stimmführung und die der Akkordverbindung, greifen bei Bach so eng ineinander wie nirgends sonst. Und die Tatsache, daß die Wechselwirkung der beiden Momente das Problem war, um das Bachs musikalisches Denken kreiste, genügte bereits, um verständlich zu machen, warum Schönberg die Erinnerung an Bach beschwor, als er in der Dodekaphonie ein Mittel

121

erkannte, das musikalische Material ‹in der Horizontalen und in der Vertikalen› zu durchdringen»²⁶⁰, so Carl Dahlhaus in seiner Werkmonographie zu op. 31 über die Hintergründe des B – A – C – H-Motivs. Auch Mátyás Šeibers Charakterisierung der *Orchestervariationen* als der wahrhaftigen Kunst der Fuge in der Ära der Dodekaphonie umschreibt diese enge Verbindung.

Im Frühjahr 1928 erbat Wilhelm Furtwängler, der Dirigent des Berliner Philharmonischen Orchesters, von dem Komponisten ein Werk zur Aufführung; damals waren die 1926 begonnenen *Variationen* zu etwa drei Viertel fertig, doch hatte Schönberg die Arbeit unterbrechen müssen, weil der Plan zu einer bereits angefangenen Variation verlorengegangen war. Sein erstaunliches, unbewußtes Erinnerungsvermögen demonstriert der Bericht vom Abschluß der Partitur: *Ich verbrachte noch eine Woche mit vergeblichen Nachforschungen und arbeitete auch inzwischen an anderen Partien. Ich mußte aber endlich dahingelangen, diese Variation in allen ihren Gewichts- und Maßverhältnissen festzulegen. Ich machte mich nochmals an die Arbeit, und nach einem neuen Versuch und einem neuen Mißerfolg entschloß ich mich, die führe Form aufzugeben und meine Variation nach einem*

122

anderen Prinzip aufzubauen. – Bei dem damaligen Stand der Arbeit konnte ich leicht ein solches aufstellen. In dem Augenblick, in dem ich mich anschickte, die Gruppierung nach dem neuen Plan auszuführen, fand ich ein Blatt, das ich hunderte Male gesehen hatte, ohne es zu beachten, und auf diesem befand sich ... die Lösung, nach der ich so lange gesucht hatte und die vollkommen mit derjenigen übereinstimmte, die sich aus dem neuaufgestellten Prinzip ergab.[261]

Die Uraufführung des Werkes am 2. Dezember 1928 war ein Mißerfolg, der angesichts des betont konservativen Publikums der Berliner Philharmonischen Konzerte kaum überraschen kann. Schönberg hatte daraufhin eine demonstrative Wiederholung des Stückes im nächsten Konzert erhofft und war enttäuscht, als Furtwängler dieses nicht tat. Unter der Überschrift «Arnold Schönbergs Berliner Konzertskandal» kommentierte Alban Berg die Vorgänge im «Neuen Wiener Journal»: «Die Nachrichten über den Verlauf jenes Berliner Philharmonischen Konzerts, in dem Arnold Schönbergs neues Orchesterwerk aufgeführt wurde, mochten lauten wie immer, eines hat mich daran auf jeden Fall sehr gefreut: Es ist wahr geworden, daß ein Schönberg durch das repräsentativste Orchester, das Deutschland gegenwärtig zu vergeben hat, aufgeführt worden ist ... Man sprach von einem Skandal. – Was ist wirklich geschehen? Schönbergs Werk ist ungestört zu Ende gespielt worden, und nachher hat ein Teil des Publikums gepfiffen, der andere hat applaudiert. Ist das schon so etwas Furchtbares? Kann man den Leuten verbieten, Mißfallenskundgebungen zu veranstalten, wenn sie sich dazu durch ihr Urteil bewogen fühlen? Ich bin nicht dieser Ansicht.»[262] Für soviel Liberalität allerdings hatte Schönberg kein Verständnis, er notierte handschriftlich am Rand des Artikels: Ich bin nicht dieser Ansicht. Ich finde Applaus und Zischen gleichermaßen beleidigend und entwürdigend.[263] Und als ein Berliner Rezensent des Konzerts «zuviel Mathematisches» zu vernehmen geglaubt hatte, glossierte Schönberg: Ich wundere mich, daß man noch nicht diese Musik «süddeutsche Verstandesmusik» nennt, so wie man einmal Schumann, Mendelssohn und Wagner als norddeutsche Verstandesmusiker bezeichnet hat. Es zeigt sich, daß der Verstandesmangel vom Klima unabhängig ist.[264]

Einen Versuch, die offensichtliche Diskrepanz zwischen dem auf Tonalität eingeschliffenen Verhalten der Hörer und der Zwölftontechnik zu verringern, unternahm der Dirigent Hans Rosbaud, als er Schönberg 1930 zu einem Vortrag am Frankfurter Rundfunk einlud, um ihm die Möglichkeit zu geben, den Aufbau des op. 31, die Variationsfolgen und die innere Logik ihrer Umgestaltung zu erläutern, wobei das Radio-Symphonieorchester unter Rosbaud die jeweils besprochenen Teile der Komposition wiederholte. Das lebhafte, positive

Echo auf dieses Experiment bewies erneut die Notwendigkeit von Fremdbestimmung ästhetischer Praxis, nachdem Musik nicht länger mit dem Selbstverständnis einer natürlichen, intersubjektiven Sprache auftreten konnte.

Ebenfalls ein Mißerfolg war die im Anschluß an die *Orchestervariationen* komponierte Oper *Von heute auf morgen*, jener noch immer nahezu unbekannte Einakter von gut einstündiger Dauer, mit dem Schönberg nach langen Jahren zum erstenmal wieder das Feld «angewandter» Musik betrat, wobei Alban Bergs aufsehenerregende Berliner «Wozzeck»-Premiere, der Aufführungen unter anderem in Prag, Leningrad, Wien, London und New York folgten, und Ernst Křeneks großer Erfolg mit «Jonny spielt auf» nicht ohne Einfluß auf die Wahl des Genre bzw. der Thematik gewesen sein dürften. Nach den beiden frühen Bühnenwerken *Erwartung* und *Glückliche Hand*, die noch vor dem Ersten Weltkrieg entstanden waren und in denen das Verhältnis der Protagonisten zum Eros durch tragische Konflikte überhöht wurde, vertonte Schönberg jetzt eine die Grenzen des Banalen streifende Ehekomödie des Autors Max Blonda (Pseudonym für Gertrud Schönberg), in der ein kleinbürgerliches Idyll von Zweisamkeit durch das Auftreten eines mondänen Paares aus der Bohème gefährdet scheint, jedoch durch die List der Vernunft im letzten Augenblick gerettet wird, wenn mit innerem Einverständnis die Wertbegriffe bürgerlicher Ehe wieder aufgerichtet werden. Obwohl die Moral des Stückes offensichtlich scheint, erläutert Schönberg, um ganz sicherzugehen, in einem Brief an den Dirigenten der Uraufführung, *daß hinter der Einfachheit dieser Vorgänge sich einiges versteckt: Daß an der Hand alltäglicher Figuren und Vorgänge gezeigt werden will, wie über diese einfache Ehegeschichte hinaus, das bloß Moderne, das Modische nur «von heute auf morgen» lebt, von einer unsicheren Hand in einen gefräßigen Mund, in der Ehe, wie nicht minder in der Kunst, in der Politik und in den Anschauungen vom Leben*[265]. Und aus Wien lobte der Freund Alban Berg die Vorlage: «Da hast Du, liebster Freund, wohl einen glücklichen Griff getan! Es ist eigentlich das, was sich ein Opernkomponist wünscht oder wünschen müßte, wenn er kein Theater-Symphoniker ist: ein L i b r e t t o ! Nicht mehr und nicht weniger. Aber das ist viel, ja Alles!»[266] Berg glaubte sogar, sich nach der Lektüre des Textes bereits eine Vorstellung von der Musik machen zu können.

Da Schönberg sich zu dieser Zeit mit seinem Verleger zerstritten hatte, erschien das Notenmaterial zunächst im Selbstverlag, weil er sehr optimistisch plante, das Aufführungsrecht an etwa zehn Bühnen gleichzeitig verkaufen zu können. Nach vielen Absagen (darunter Köln und Wiesbaden) bewies schließlich die Frankfurter Oper den Mut zum Experiment; denn spätestens nach der Lektüre der Partitur mußte allen

Verantwortlichen klargeworden sein, daß die Kompromißlosigkeit dieser musikalischen Sprache nicht ohne weiteres die Zustimmung ihres Opernpublikums finden würde. Mit seinem Urteil, daß diese Musik «beschwingt und voll Charme»[267] sei, dürfte der Schönberg-Schüler Josef Rufer auch heute noch ziemlich allein stehen; als das «fremdeste» aus Schönbergs Produktion charakterisiert Adorno das auf eine einzige zwölftönige Reihe und ihre Ableitungen komponierte Opernwerk in seiner Kritik der Premiere: «Keine Deskription, bloß die Analyse vermag vom Orchester eine Vorstellung zu geben. Es rechnet endgültig mit dem fließenden, funktionellen Wagner-Klang ab, so wie die harmonisch-polyphonische Struktur, die der Klang realisiert, erstmals in vollständigem Sinne ‹funktionslos› erscheint und die letzten Leittonbeziehungen tilgt; der Bruch mit dem Wagnerschen Funktionalismus, den infinitesimalen Übergängen des Klanges, ist aber nicht, wie bei den Neoklassikern, durch die Konzeption eines kahlen, übergangslosen und homogenen Gruppenklangs vollzogen, der den Stand des Materials archaisch verfälschte, sondern in vollständiger Ausinstrumentation aller Linien ein vielfarbig gebrochener, übergangsreicher, solistischer Klang gewonnen, dessen Facetten die Lineatur vollständig wiedergeben, die Freiheit der Melodiegestalten in Farbenfreiheit aufnehmen und doch in der Formimmanenz der Komposition streng verbleiben.»[268]

Nach wenigen Aufführungen an der Frankfurter Oper, die damit nach Adornos Urteil endlich wieder ihr Lebensrecht dargetan hatte, erklang das Werk noch einmal 1930 unter der Leitung des Komponisten im Berliner Rundfunk, um dann zu Lebzeiten Schönbergs nicht wieder aufgeführt zu werden. Sein in der Verkennung der objektiven Situation unfaßbar naiv anmutender Wunsch nach Popularität seiner Musik ging nicht in Erfüllung: *Ich aber wünsche nichts sehnlicher (wenn überhaupt), als daß man mich für eine bessere Art von Tschaikowsky hält — um Gotteswillen: ein bißchen besser, aber das ist auch alles. Höchstens noch, daß man meine Melodien kennt und nachpfeift.*[269]

Als ihm die 1930 von Otto Klemperer mit dem Orchester der Berliner Kroll-Oper uraufgeführte *Begleitungsmusik zu einer Lichtspielszene* einen unerwarteten Achtungserfolg einbrachte, fragte er sich irritiert: *Das Stück scheint ja zu gefallen: soll ich daraus Schlüsse auf seine Qualität ziehen?*[270] Die Partitur war ein Auftragswerk des Wilhelmshavener Verlags Heinrichshofen, der die damals zum großen Teil noch auf den Stummfilm angewiesenen Kinos mit Musik versorgte. Schönbergs Auseinandersetzung mit dem neuen Medium erfolgte gleichsam abstrakt, da er nicht einen vorgegebenen filmischen Handlungsablauf akustisch untermalte, sondern drei allgemein-programmatische Situationen, *drohende Gefahr, Angst* und *Katastrophe*, musikalisch ausdeutete; Komposition von Gebrauchsmusik, die sich dramaturgischer Disposition zu unterwerfen hatte, indem sie den Zuschauer auf das Kommende einstimmen und das Gezeigte akustisch verdoppeln sollte, war seine Sache nicht. Kaum ernsthaft konnte der Verlag damit rechnen, daß die Kinoorchester normalen Zuschnitts das Stück aufführen würden; es ist wahrscheinlich, daß es aus Repräsentationsgründen anläßlich eines Firmenjubiläums in Auftrag gegeben wurde, als ein Beitrag zur Kinothek des Verlags.[271]

MOSES UND ARON

Die zunehmende politische Polarisierung, die in der ersten deutschen Republik am Ende der zwanziger Jahre zu verzeichnen war, machte auch vor der Musik nicht halt. Der durchaus national und konservativ gesonnene Schönberg fiel unter das Verdikt jenes Kulturbolschewismus, mit dem alle Künstler bedacht wurden, die entweder durch das Werk oder ihre Person den nationalistischen Vorstellungen von arteigener, deutscher Kunst nicht genügten. Zielscheibe der diffamierenden Angriffe, die zunächst aus den Spalten der Feuilletons kamen und sehr bald als Instrument der offiziellen Kulturpolitik dienten, waren im Fall Schönberg das als undeutsch verschriene, weil zur kulinarischen

126

Rezeption ungeeignete musikalische Idiom der Zwölftontechnik sowie seine jüdische Abstammung. Angewidert von den ständigen Anfeindungen dehnte Schönberg seine Ferienaufenthalte in der Schweiz, Frankreich und Spanien so lange wie nur möglich aus. *Damit ich nicht zu den Hakenkreuzlern und Pogromisten nach Berlin zurück muß*[272], bat er in einem Brief aus Barcelona einen New Yorker Mäzen (vergeblich) um finanzielle Unterstützung. Unter dem Druck der äußeren Verhältnisse geschah das Unvorstellbare: Schönberg, der erklärte Verfechter des l'art pour l'art, reagierte politisch – mit seinem Werk. Zunächst, indem er in dem dramatischen Versuch *Der biblische Weg* die Vision der Errichtung eines neuen Staates der Juden auf dem Boden des afrikanischen Königreichs Ammongäa niederschrieb.

Das im Dezember 1927 in der zweiten Fassung vollendete Schauspiel, bis heute (mit Ausnahme einer italienischen Edition) weder publiziert noch aufgeführt, enthält eine Vielzahl philosophischer, politischer und autobiographischer Elemente, die ihm eine Schlüsselstellung für das Verständnis der Persönlichkeit Schönbergs zuweisen. Der erste Akt spielt in einem europäischen Sportlager, in dem junge Juden auf die Auswanderung vorbereitet werden. Die Fragen eines Sportleiters an den zweifelnd abseits stehenden Golban machen deutlich, worum es in diesem Stück gehen wird:

Und haben Sie also kein Interesse für die Wiederaufrichtung der jüdischen Selbständigkeit? Keines dafür, nicht mehr verachtet zu werden? Kein Talent, ein moderner Jude zu sein?[273]

Der ehemalige Journalist Max Aruns, als Politiker und Philosoph Motor der Sammlungsbewegung und von seiner Umgebung verehrend «der Meister» genannt, kämpft verzweifelt gegen das seinen Plänen widerstrebende internationale Großkapital, aber auch gegen Orthodoxie und Skepsis in den eigenen Reihen, die eine Verwirklichung der alten biblischen Verheißung in Frage stellen. – Neupalästina ist der Schauplatz des zweiten und dritten Akts. Die ersten Übersiedler sind eingetroffen, und man steht kurz vor der Unterzeichnung eines Gebietsvertrags mit dem Kaiser von Ammongäa. Der ständig zunehmenden Bedrohung durch die Feinde des zukünftigen Staates sieht Aruns jetzt mit Gelassenheit entgegen, da in wenigen Stunden sein militärischer Oberbefehlshaber mit einer neu entwickelten Superwaffe eintreffen soll. Verrat schleicht sich ein, Aruns wird von seiner Frau Christine verlassen, die einem Spion wichtige Geheimdokumente überläßt. Als zudem noch notwendige Lebensmitteltransporte ausbleiben, steigert sich die Unzufriedenheit in den Lagern zur Revolte, wobei Max Aruns erschlagen wird. In diesem Augenblick betritt Guido, sein Nachfolger, mit der die militärische Überlegenheit sichernden Strahlenmaschine die Szene. Seine Worte an der Bahre des Volksführers

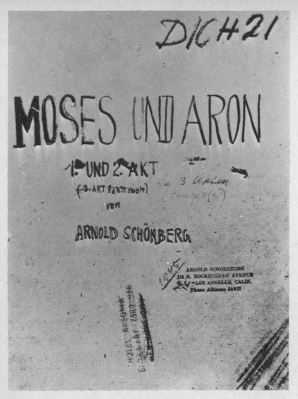

Originalmanuskript der Titelseite

beschwören biblische Parallelen:

Wie Moses das gelobte Land nicht betreten durfte, wie es seine Auf-
gabe bloß war, das Volk dahin zu führen, wie er sterben mußte, als seine
Aufgabe vollbracht war, so hatte dieser Mann sein Leben vollendet, als
Neupalästina Wirklichkeit geworden war. Was er hinterlassen hat, ist
eine andere und leichtere Aufgabe. Für sie reicht ein Josua aus . . .

Wie jeden alten Volkes, so ist es auch unsere Bestimmung: uns zu
vergeistigen. Uns von allem Materiellen loszulösen. Wir wollen unser
geistiges Leben führen dürfen und niemand soll uns dabei stören kön-
nen. Wir wollen uns geistig vervollkommnen, wollen unseren Gottes-
traum träumen dürfen, wie alle alten Völker, die die Materie hinter sich
haben.[274]

Bei der Lektüre wird offenkundig, daß Schönberg, der Arbeitstei-

128

Die Titelseite des Klavierauszugs

lung in Dingen der Kunst nicht anerkennen wollte, es mit diesem Drama nicht eben leicht gehabt hat. Die einfache Fabel ist durchsetzt mit einer Vielzahl von Philosophemen, Reflexionen und Bekenntnissen, die oftmals den Handlungsablauf trotz der stellenweise beachtlichen dramatischen Qualitäten zum Stillstand zu bringen drohen. Doch ist hier nicht der Ort für eine an literarischen Kriterien orientierte Analyse des Schauspiels, die erst nach einer vollständigen Publizierung vorgelegt werden kann. Schönberg selbst jedenfalls hielt das Stück für *bühnensicher und bildstark genug, um auch einfachere Geister hinzureißen* [275]. Das Kernproblem liegt jenseits der politischen Handlung in dem Zwiespalt zwischen Theorie und Praxis, zwischen der «reinen» Idee aus dem Geist des Alten Testaments und ihrer Umsetzung in die Erfordernisse moderner praktischer Politik:

129

Moses und Aron bedeuten für mich zwei Tätigkeiten eines Men-
schen: eines Staatsmannes. Dessen beide Seelen wissen nichts vonein-
ander; seines Gedanken Reinheit wird nicht getrübt durch seine öffent-
lichen Handlungen; und diese werden nicht schwächlich durch Rück-
sichtnahme auf jeweils noch ungelöste Probleme, die der Gedanke
stellt.[276]

Mit der Moses- und Aron-Thematik ist der Weg eingeschlagen, auf
dem Schönberg in der Folge zu seinem großen Opernlibretto finden
wird. Im *Biblischen Weg* sind beide Prinzipien zunächst noch in einer
Person, in dem Mann mit dem «sprechenden» Namen Max Aruns, vereinigt. Doch der Träger des Gedankens kann nicht zugleich praktische
Politik durchsetzen; deshalb erscheint Aruns' Scheitern als Mensch,
sein Märtyrertod kurz vor dem ersehnten Ziel, in diesem Drama als tragische Notwendigkeit.

Im April 1930 erreichte Alban Berg in Wien ein Brief Schönbergs,
der neben der Gratulation zum Erfolg des «Wozzeck» die folgenden
aufschlußreichen Angaben über den Stand der eigenen Arbeit enthielt:
Aber was ich jetzt schreiben werde, weiß ich noch nicht. Am liebsten
eine Oper; ich habe zwar Pläne, sogar zu einem eigenen Text und habe
auch an Werfel gedacht, dessen Roman (den Du mir geschenkt
hast . . .) mir sehr gut gefallen hat. Glaubst Du, würde der mit mir
zusammen etwas machen? Denn bei meiner vorigen Oper habe ich
auch fest mitgearbeitet. Vielleicht aber mache ich «Moses und
Aron».[277]

Die geplante Zusammenarbeit mit Franz Werfel kam nicht zustande,
und im Juli des gleichen Jahres begann Schönberg während eines Aufenthalts in Lugano mit dem ersten Akt der Oper nach der eigenen
Textskizze, die erst im Verlauf der kompositorischen Arbeit ihre end-
gültige Form gewann. Da er statt eines Particells sofort eine vollstän-
dige Partitur anfertigte, konnte das geplante Tagessoll von 20 Takten
nicht eingehalten werden, was die Kontinuität der Niederschrift zu
gefährden drohte: *Schon jetzt erkenne ich kaum wieder, was ich vori-*
ges Jahr davon komponiert habe. Und wäre nicht eine Art unbewußten
Gedächtnisses im Spiel, das mich unwillkürlich, musikalisch und text-
lich, immer wieder in die rechten Denkgeleise zurückführt, so ver-
stünde ich nicht, wie das Ganze dann organischen Zusammenhang
haben soll.[278]

Vor dem religionsgeschichtlichen Hintergrund der Berichte des
zweiten Buchs Moses konzipierte Schönberg ein Ideendrama, das im
Konflikt der Brüder Moses (Sprechrolle) und Aron (lyrischer Tenor)
eine unüberwindliche Diskrepanz zwischen Idee und Materie, zwischen Geist und Wort freilegt. Je nach Lage der Dinge gläubig oder
zweifelnd, steht zwischen den Protagonisten der Handlung unent-

schieden die Masse des jüdischen Volkes. Als Moses in die Einsamkeit des Berges Sinai gegangen ist, um die Gesetzestafeln zu empfangen, gibt Aron unter dem Druck der Menge den Befehl zur Errichtung eines sichtbaren Zeichens, des Standbilds vom Goldenen Kalb. Nachdem die nun folgende heidnische Feier in einer grandiosen Orgie der Sinnlichkeit – *hier ist mein Stück wohl auch am meisten Oper*[279] – geendet hat, betritt Moses mit den Gesetzestafeln die Szene, zürnend über den Rückfall seines Volkes in die Götzenverehrung, und bricht zusammen im Bewußtsein der Ohnmacht gegenüber der Gewalt alles Materiellen:

> *So bin ich geschlagen!*
> *So war alles Wahnsinn, was ich*
> *gedacht habe,*
> *und kann und darf nicht gesagt*
> *werden!*
> *O Wort, du Wort, das mir fehlt!*[280]

Der dritte, von Schönberg nicht mehr komponierte Akt schildert den Verlauf des Gerichts, das Moses, dessen Erscheinung sich der Komponist nach Michelangelos gleichnamiger Statue vom Julius-Grabmal vorgestellt hatte, über seinen Bruder abhält und an dessen Ende er den Befehl setzt, Aron aus seinen Ketten zu lösen:

> *Gebt ihn frei, und wenn er es vermag,*
> *so lebe er.*
> *(Aron frei, steht auf und fällt tot um.)*
> *Aber in der Wüste seid ihr unüberwindlich*
> *und werdet das Ziel erreichen:*
> *Vereinigt mit Gott.*[281]

Die Komposition dieser mehr als 2000 Takte umfassenden Oper basiert auf einer einzigen zwölftönigen Reihe, die dem Nachweis Wörners[282] zufolge nicht als apriorische Setzung zu verstehen ist, sondern abstrahiert wurde aus der Summe der Themen, gleichsam die Verdichtung aller melodischen Möglichkeiten, eine Beobachtung, die nach Schönbergs eigener Stellungnahme zum Problem des Aufbaus einer Reihe durchaus zutreffend ist: *Es wird nicht oft passieren, daß man als ersten Einfall gleich eine vollkommene und verwendungsfähige Reihe erhält. Ein bißchen Nacharbeiten ist wohl meistens erforderlich. Aber der Charakter des Stückes ist bereits in der ersten Form der Reihe vorhanden.*[283] Als Kompositionshilfe fertigte Schönberg ein vierundzwanzigseitiges Heft mit 2 × 12 sich gegenüberstehenden Reihen an, um die Anwendung aller möglichen Kombinationen mit einem Blick überschauen zu können. In der Reihe, die wie eine klangliche Abstraktion an jeder Stelle des ganzen Werkes gegenwärtig ist, sieht David Lewin Schönbergs Bewältigung eines im Grunde unauflöslichen Problems, einer Darstellung der paradoxen Natur Gottes, des Unvorstellbaren, das verlangt, vorgestellt zu werden. «Das Problem des Stückes ist nicht, ob Moses recht hat oder Aron, sondern wie die Idee Gottes dem Volk vermittelt werden kann.»[284]

Zu der Tatsache, daß Schönberg den dritten Akt nicht vollendete, sind zahlreiche Spekulationen lautgeworden. Sie reichen von der Mutmaßung, daß es seine tiefe Demut gewesen ist, die ihm nicht gestattete, das Werk abzuschließen, bis zu dem Versuch des Nachweises, das Stück sei mit dem zweiten Akt unwiderruflich vollendet, die musikalische Substanz gleichsam erschöpft. Eine recht klare Antwort geben die auf diese Frage bezogenen Briefstellen des Komponisten, die seine Witwe im Anhang zum Klavierauszug der Oper veröffentlichte[285]; aus ihnen wird ersichtlich, daß Schönberg bis zu seinem letzten Lebensjahr die Hoffnung nicht aufgegeben hatte, das Werk mit der Komposition des dritten Akts doch noch abschließen zu können.

Als am 30. Januar 1933 Adolf Hitler durch den Reichspräsidenten Paul von Hindenburg zum Kanzler ernannt wurde und sich die Umwandlung der Republik von Weimar in den nationalsozialistischen Führerstaat vollzog, waren sehr bald auch die offziellen Kulturinstitutionen dem parteipolitischen Zugriff ausgeliefert. Bereits im März des gleichen Jahres erklärte der Präsident der Preußischen Akademie der Künste, Professor Max von Schillings, daß auch in diesem Gremium der jüdische Einfluß gebrochen werden müsse. Entrüstet verließ Schönberg die Sitzung und stellte sofort den Antrag auf Beurlaubung von seiner Professur, wobei er mit Nachdruck auf einer Fortzahlung seines vertraglich zugesicherten Honorars bestand: *Einer, der wie ich, in politischer und moralischer Hinsicht unangreifbar dasteht, der durch den Verzicht auf seinen Wirkungskreis in seiner künstlerischen und menschlichen Ehre aufs tiefste gekränkt wird, sollte nun nicht noch dazu auch in seiner wirtschaftlichen Lebensmöglichkeit gefährdet, ja mit dem Untergang bedroht werden.*[286]

Er war jetzt fest entschlossen, Berlin zu verlassen, doch vergingen zunächst noch einige Wochen der Planung und Überlegung über den Ort neuer Arbeitsmöglichkeiten, als ihn am 13. Mai ein Telegramm seines Schwagers Rudolf Kolisch aus Rom erreichte: «Luftveränderung dringend erwünscht!» Veranlaßt hatte diese Aufforderung der Dirigent Otto Klemperer, der den Komponisten angesichts der hereinbrechenden Katastrophe vor dem Schlimmsten bewahren wollte. Noch am gleichen Tag reisten Schönberg und seine Frau nach Paris. – Er blieb bis zum Oktober 1933 in Frankreich und verbrachte die meiste Zeit wegen heftiger Asthmaanfälle im südlich gelegenen Arcachon. Da trotz einer Intervention Wilhelm Furtwänglers, der ihn in Paris besucht hatte, die Preußische Akademie ihre Honorarzahlungen einstellte, das mitgebrachte Bargeld bald verbraucht und auf finanzielle Unterstützung durch Mäzene nicht zu hoffen war, plante er, Frankreich so bald wie möglich wieder zu verlassen. Auch die letzte Hoffnung, mit Pablo Casals und seiner, dem spanischen Cellisten gewidmeten Bearbeitung des Cembalokonzerts von Georg Matthias Monn für Violoncello und Orchester auf eine internationale Tournee zu gehen, erfüllte sich nicht.

Nachdem er in einer Pariser Synagoge offziell die Rückkehr in die jüdische Glaubensgemeinschaft vollzogen hatte, waren es vor allem Fragen von Rasse und Politik, die ihn, der aus dem französischen Exil die Ereignisse in Deutschland genau verfolgte, jetzt mit zunehmender Intensität beschäftigten. Viel Zeit verwandte er auf den Entwurf von Reden, die er auf großen Versammlungen, im Radio und auf dem Prager Zionistenkongreß halten wollte. *Ich halte das für wichtiger als meine Kunst, und ich bin entschlossen – wenn ich für solche Tätigkeit geeignet bin – nichts anderes mehr zu machen, als für die nationale Sache des Judentums zu arbeiten.*[287] Voll Bitterkeit und Schärfe waren seine Polemiken gegen die Rassenpolitik der Nationalsozialisten, die er für ebenso unbegründet wie absurd hielt, wobei er gleichzeitig die Legitimität und Notwendigkeit eines jüdischen Rassebewußtseins unterstreicht: *Der auf die Spitze getriebene Rassenstolz der Deutschen ist so unbegründet wie er jung ist. Kein Volk der Erde hat sich so gerne und so leicht mit anderen vereinigt, und es ist bekannt, daß sie, als Auswanderer, immer bestrebt waren, sich so rasch als möglich zu assimilieren und ihre Rasseneigenschaften zu verleugnen ... Dabei ist der Rassismus, bis auf eben die spezifisch deutschen Übertreibungen, eine Nachahmung (jede gute Nachahmung ist eine schlechte Nachahmung) des jüdischen Glaubens an sich. Wir Juden nennen uns das auserwählte Volk Gottes und haben die Verheißung. Und wir wissen, daß wir auserwählt sind, den Gedanken des einzigen, ewigen, unvorstellbaren, unsichtbaren Gottes zuende zu denken, zu erhalten! Dem läßt sich nichts an die Seite stellen, und darum bleibt der deutsche Rassismus in Phrasen stecken ... darum messen sie Nasen, Ohren, Beine, Bäuche – weil eben der Gedanke fehlt!*[288]

Alban Berg, der Schönberg wegen der unsicheren politischen Lage in Österreich von einer Rückkehr nach Wien abgeraten hatte, war tief getroffen, als er von diesen unerwarteten Aktivitäten seines Freundes erfuhr: «Selbst wenn ich seine Abkehr vom Okzident menschlich für

„Schönberg...

„Schönberg gehört zu den Kolumbusnaturen. Er schloß der Musik neue Ausdruckswelten auf. Halb verdrängte Melancholien, gestammelte Befürchtungen, Ahnungen, bei denen sich das Auge zum Bersten weitei, Hysterien, die mit uns allen leben, und jenes Heer der Krämpfe: sie werden Klang!"

(Der jüdische Musikliterat Siegmund Pisling über den Juden Arnold Schönberg)

Seite 11 der Broschüre von Hans Severus Ziegler

möglich hielte (ich glaub's ja nicht, oder zumindest: seine Zuwendung zum Orient halte ich für nicht möglich!), so besteht für mich die unerschütterliche Tatsache seines musikalischen Schaffens, für die es nur eine Bezeichnung gibt: deutsch. Was ich da unter deutsch verstehe, brauche ich Dir wohl nicht zu sagen, es genügt die Nennung des undeutschen Namens: Pfitzner z. B. . . . Ich möchte so gern auch über die praktische Seite von Schönbergs Plänen mit Dir sprechen, deren Ausführung ich leider auch nicht für möglich halte, so sehr ich seine Absicht und seine Bestrebungen bewundere, ja so sehr ich seine Aus-

Titelseite der Broschüre von Hans Severus Ziegler zu einer Ausstellung in Düsseldorf, 1938

einandersetzung mit diesem Problem für die tiefste Erkenntnis darin halte . . .» (an Webern).[289]

Eine sehr bescheiden dotierte Lehrstelle in der Türkei, die ihm angetragen wurde, nachdem Paul Hindemith abgesagt hatte, konnte er ablehnen, weil das Malkin-Konservatorium in Boston mit ihm in erfolgversprechende Verhandlungen getreten war. Am 25. Oktober 1933 begab sich der jetzt Neunundfünfzigjährige zur Ausreise in die USA in Le Havre an Bord, nicht ohne Sorgen über eine ungesicherte Zukunft: *Hoffentlich gehts mir nicht wie in Holland, wo ich, kaum angekommen, die gesamte Öffentlichkeit gegen mich hatte, weil alle, die meine Konkurrenz fürchteten, sofort die Presse und alle Machtfaktoren gegen mich mobilisierten.*[290]

AMERIKA

Es ist unschwer einzusehen, daß die Existenz in den USA, wo jede Form der Kunstausübung unter dem Verdikt von Angebot und Nachfrage stand und ökonomische Prinzipien kaum verhüllt auch den Bereich der musikalischen Produktion bestimmten, für einen Komponisten wie Schönberg, der einst gemeinsam mit Loos gefordert hatte, der demokratische Staat habe als Nachfolger des Souveräns die Rolle eines Mäzens zu übernehmen und so dem Künstler das uneingeschränkte Schaffen zu ermöglichen, mit größten Schwierigkeiten verbunden sein würde. Zwar ist unbestreitbar, daß Schönberg materiellen Dingen durchaus zugewandt war und einen gewissen Luxus in der Lebenshaltung beanspruchte, weshalb seine finanziellen Forderungen meist nicht gerade zimperlich ausfielen, doch ließ er, wenn es um Fragen seiner Kunst ging, keinerlei Kompromisse zu. Wie emotional er in Geldfragen reagieren konnte, zeigt die von Gertrud Schönberg überlieferte Geschichte von der Vergabe seiner Oper *Von heute auf morgen* (1929): Nachdem er sich mit seinem Verleger zerstritten hatte, bot ihm der Geschäftsführer eines konkurrierenden Musikverlages 100 000 Mark für das Werk. Allein die hemdsärmelige Direktheit, mit der man ihm nach diesem lukrativen Angebot sofort das Vertragsformular auf den Tisch legte und ihm ganze fünf Minuten Bedenkzeit einräumte, widerte ihn derart an, daß er mit seiner Frau fluchtartig das Büro verließ und den Druck des gesamten Notenmaterials unter großen finanziellen Schwierigkeiten im Selbstverlag besorgte.

Auch in den USA blieb Schönberg unangepaßt, ein Außenseiter nicht zuletzt deshalb, weil er sich den Mechanismen des Marktes nicht unterordnete; selbst als er in Los Angeles lebte, sollte jeder Versuch einer Zusammenarbeit mit der benachbarten Filmszene Hollywoods fehlschlagen.

Die erste Enttäuschung erlebte er gleich nach der Ankunft in Boston, als sich herausstellte, daß das Malkin Conservatory eine kleine Musikschule war, die nur eine Handvoll Schüler und kein eigenes Orchester hatte, während er mit dem Begriff des Konservatoriums die Vorstellung eines großen Instituts verband. Die Wintermonate verbrachte er in Boston, zog dann ohne Engagement für einige Zeit nach New York City und ging wegen zunehmender asthmatischer Beschwerden im Sommer nach Chautaqua, einem Ferienort im südlichen Teil des Staates New York. *Sehr groß ist das Geriß um mich nicht*[291], hatte er schon im französischen Exil registrieren müssen, und diese Feststellung schien auch in den USA zu gelten. Allein die Einladungen zu Vorlesungen an der Juilliard School of Music in New York, die er allerdings wegen des Klimas und Schwierigkeiten mit der englischen Sprache ausschlug, gaben ihm das Bewußtsein, *daß ich mich in Amerika nicht überflüssig fühlen muß*[292].

In Chautaqua erreichte ihn im Juli 1934 ein Brief seines ehemaligen Schülers Hanns Eisler, der ihn für ein Lehramt in der UdSSR vorschlagen wollte, ein Angebot, auf das Schönberg zunächst einging, da er, wie er in seiner Antwort betonte, annahm, daß von ihm sicherlich keine politische, sondern eine künstlerische Leistung erwartet würde. Er übersandte Eisler ein ausführliches Exposé seiner didaktischen Vorstellungen, die er als Leiter eines Instituts dort verwirklichen wollte.

Die Tatsache, daß Schönberg damals ernsthaft einen Umzug in die Sowjet-Union erwog, ist bis heute nahezu unbekannt geblieben; sie mußte jeden überraschen, der von Schönbergs Aversionen gegen den Kommunismus wußte. Im Nachlaß befindet sich noch heute als Sonderheft der Wiener Musikzeitschrift «Anbruch» (1931) eine Dokumentation sowjetischer Autoren über das Musikleben in der UdSSR, in der Schönberg vorgeworfen wird, seine Kompositionen seien ausweglose Metaphysik und vertieften den Graben zwischen Musik und werktätiger Bevölkerung. Diese Artikel sind übersät mit handschriftlichen Glossen Schönbergs, deren bittere, manchmal zynische Schärfe an seiner damaligen Haltung zum Kommunismus keinerlei Zweifel aufkommen läßt. Mittlerweile wurde zwar in der Sowjet-Union seine Emigration als Zeichen des Kampfes gegen den Nationalsozialismus gewürdigt und der Hoffnung Ausdruck gegeben, daß er den Weg in das Lager der proletarischen Weltrevolution finden werde, doch verwarf er, wahrscheinlich unter dem Einfluß seiner Umgebung, den Plan Eislers und ging im Herbst 1934 nach Los Angeles, wo er sich von den letzten Ersparnissen ein kleines Haus in den Hollywood Hills mietete.

Mit Albert Einstein und Leopold Godowski. New York, Carnegie Hall, 1934

Als ich 1933 nach Amerika kam, konnte ich mein Handelszeichen nicht wechseln. Ich war der Mann mit «dem System der chromatischen Leiter».[293] So scheint es fast paradox, daß die erste Komposition, die in den USA vollendet wurde, ein Stück rein tonaler Gebrauchsmusik war, die *Suite im alten Stile für Streichorchester*, mit den barocken Satzbezeichnungen Ouvertüre, Adagio, Menuett, Gavotte und Gigue. Das Werk, von dem Zillig schrieb, man könne es für einen unbekannten Brahms halten, war von Martin Bernstein, Professor an der New York University, angeregt worden, um amerikanischen Hochschul-Orchestern eine gut spielbare, vorbereitende Einführung in die Moderne zu geben. Schönberg war von der propädeutischen Absicht begeistert, schickte jedoch nach dem Abschluß der Komposition dem Werk eine längere Einführung voraus, um über dessen ungewöhnlichen Charakter keine Mißverständnisse aufkommen zu lassen:

Ohne die Schüler vorläufig einer Schädigung durch das «Gift der Atonalität» auszusetzen, sollte hier in einer Harmonik, die zu modernen Empfindungen leitet, auf moderne Spieltechnik vorbereitet werden:

Fingersätze, Stricharten, Phrasierung, Intonation, Dynamik, Rhythmik, all das sollte gefordert werden, ohne unüberwindbare Schwierigkeiten zu bieten. Aber auch auf moderne Intonation, Satztechnik, Kontrapunkt und Phrasenbildung war hinzuweisen, wenn der Schüler allmählich ein Gefühl erwerben soll, daß nicht nur jener primitiv symmetrische Bau, jene Variationslosigkeit und Unterentwickeltheit als Melodie zu gelten habe, welche das Wohlgefallen der Mediokrität aller Länder und Völker bildet.[294]

Im Zusammenhang dieses Textes erfährt auch der Begriff des Konservativen eine für Schönbergs Denken sehr typische Begründung: ... *daß eine Kultur nur durch Wachstum zu erhalten ist, weil sie, wie alles lebt, nur leben kann, solange sie noch wächst, daß sie aber stirbt, verdorrt, sobald sie aufhört, sich zu entwickeln; daß somit Technisches, Geistiges, künstlerisch nur darum konservierungswert sein kann, weil es Vorstufe zu neuem Weiterschreiten, zu neuem Leben bedeutet und daß es nur dann und nur darum konservierungswert ist. Vielleicht ist es nach dem Vorgesagten überflüssig zu erwähnen, daß dieses Stück keine Absage an mein bisheriges Schaffen bedeutet.*[295] Die Uraufführung im Mai 1935 dirigierte Otto Klemperer mit dem Los Angeles Philharmonic Orchestra, wahrscheinlich nicht ganz mühelos, wie Schönbergs sarkastischer Vermerk auf dem Manuskript — *Die Kleckse in dieser Partitur sind Klemperers Schweißtropfen*[296] — zu erkennen gibt. Auf Wunsch des New Yorker Musikverlages G. Schirmer, mit dessen Direktor Carl Engel Schönberg befreundet war, entstand 1943 noch ein weiteres tonales und in offenkundig pädagogischer Absicht geschriebenes Werk, *Thema und Variationen für Blasorchester*, das in zwei Fassungen (op. 43 a und op. 43 b) vorliegt.

Nach zweijähriger Arbeit wurde im September 1936 das *Violinkonzert* op. 36 beendet, eine Komposition, deren beispielhafte Entfaltung der Zwölftontechnik sie zu «einem der am meisten studierten, gelehrten und analysierten Quellenwerke (Milton Babbitt)[297] dieser Gattung werden ließ. Für die Uraufführung hatte Schönberg zunächst seinen Schwager Rudolf Kolisch, später den in Los Angeles lebenden Geigenvirtuosen Jascha Heifetz vorgesehen. Als dieser dann das Werk wegen seiner technischen Schwierigkeiten als unspielbar zurückgab, kommentierte Schönberg: *Ich freue mich, ein weiteres unspielbares Stück ins Repertoire gebracht zu haben. Ich will, daß dieses Konzert schwierig ist und der kleine Finger länger wird. Ich kann warten.*[298] Dann schickte er die Partitur an den Geiger Louis Krasner, der bereits bei einem Aufenthalt in Wien Alban Berg zu einem Violinkonzert angeregt hatte und dem er während der Lehrzeit am Malkin Conservatory begegnet war. Krasner widmete dem Studium des Werkes mehr als ein Jahr, bevor er es in New York, begleitet von Eduard Steuermann am Flügel, Schönberg vorspielen konnte. Krasner spielte auch den Solopart bei der Uraufführung, die Leopold Stokowski 1940 mit dem Philadelphia Orchestra dirigierte. Außer auf Schallplattenaufnahmen hat Schönberg das Werk in der Orchesterfassung nie gehört; den Besuch einer Aufführung in Minneapolis mußte er kurzfristig absagen, weil infolge des Weltkriegs der Flugverkehr von und nach Los Angeles stark eingeschränkt wurde. *Die Air Force ist eben stärker als wir*, schrieb er resigniert an Krasner.

Schönberg hat das *Violinkonzert* Anton von Webern gewidmet, als Zeichen der Freundschaft, die zuweilen allerdings nicht ungetrübt schien, da *Weberns Haltung sehr schwankend war. Er ist allerdings immer wieder zu mir zurückgeschwankt, und das spricht dafür, daß er wohl immer von dritter Seite gegen mich aufgehetzt wurde, was seine Liebe für mich doch nicht zerstören konnte.*[299]

Wie undogmatisch er die Reihenkomposition auch in diesem Stück handhabe, berichtet Felix Greissle, der den Auftrag erhielt, einen Violin- und Klavierauszug des Werkes anzufertigen. Aus Los Angeles wurde ihm die Partitur in Teillieferungen zugesandt, in der Greissle bereits am Anfang einen Fehler in der Zwölftonreihe bemerkte. Er machte Schönberg sofort darauf aufmerksam, erhielt jedoch auf diesen Einwand keine Antwort. Als der Fehler auch in den nächsten Lieferungen auftauchte, schrieb Greissle wiederum einige Briefe, die alle ohne Antwort blieben, bis ihn nach Abschluß der Arbeiten, kurz vor der Drucklegung, eine Postkarte des Komponisten mit der lakonischen Frage *Na und wenn schon?*[300] erreichte. Sie zeigt, daß für Schönberg

1936

allein die Tatsache des Musikmachens, des Sichausdrückens wichtig
war, wobei die jeweils angewandte Technik ihm nur als – durchaus ver-
änderbares – Vehikel seiner Ideen dienen sollte. Wahrscheinlich
kommt er deshalb in einer selbstverfaßten Analyse des *IV. Streichquartetts* op. 37 mit keinem Wort auf die Reihenstruktur des Werkes zu
sprechen, sondern vermittelt dem Leser weit eher eine Beschreibung
von Höreindrücken als die Erläuterung der musikalischen Konstruk-

tion, bei der die Darstellung der angewandten Technik ein notwendiger Bestandteil hätte sein müssen. Das Werk wurde zum erstenmal im Januar 1937 in der Royce Hall (Los Angeles) vom Kolisch-Quartett, zusammen mit den drei früheren Quartetten, aufgeführt. *Die Konzerte waren ein voller Erfolg*, schrieb Schönberg der Mäzenin Elizabeth Sprague-Coolidge, die das Festival auf dem Campus der University of California finanziert hatte, *das Publikum wuchs von Mal zu Mal. Im ersten Konzert waren etwa 600–700 Leute, im zweiten annähernd 1000, im dritten ungefähr 1200 und im vierten 1500.*[301] Über die Nichtbeachtung von offizieller Seite war er sehr empört: *Man erzählte mir, der Präsident* (der UCLA) *hätte das erste Konzert besucht. Ich bezweifle es. Jedenfalls ist er nicht zu mir gekommen, um mir ein freundliches Wort zu sagen, was sehr einfach ist, weil ich nicht zuviel erwarte. Auch von den Offiziellen kam niemand zu mir, um zu gratulieren oder was sonst auch immer.*[302]

Während der Arbeit am *IV. Streichquartett* war die Familie von Hollywood nach Brentwood Park umgezogen, in einen ruhigen Vorort, der auf halbem Weg zwischen der University of California in Westwood und der Pazifikküste lag. An der North Rockingham Avenue, einer Seitenstraße des Sunset Boulevard, hatte er günstig ein kleines Haus erwerben können, gebaut in dem für Kalifornien typischen spanischen Kolonialstil, das sich in der Nachbarschaft feudaler Villen mit palmenbepflanzten Gärten geradezu bescheiden ausnimmt. Endlich waren auch aus Paris die selbstentworfenen Möbel der Berliner Zeit eingetroffen, und an die weißgekalkten Wände hängte er seine frühen Bilder, vornehmlich die gespenstischen *Visionen*. Im Hinterhof wurde eine Tischtennisplatte aufgestellt, neben Schachspiel, Basteln, Buchbinden und Tennis (oft mit dem Freund und Nachbarn George Gershwin als Partner) sein bevorzugter Zeitvertreib und notwendiges Gegengewicht zur konzentrierten Kompositionsarbeit. Neben diesen Hobbies, die er mit Ausdauer und großem Ernst betrieb, verbrachte er seit Jahren viel Zeit mit Konstruieren und Erfinden geistreicher, praktischer oder abwegiger Dinge. Im Nachlaß werden noch zahlreiche Belege dieser Tätigkeit aufbewahrt, so der Entwurf einer Notenschreibmaschine, der Plan eines für alle Berliner Verkehrsmittel gültigen Umsteigefahrscheins, den er mit einer fünfseitigen Begründung an die BVG schickte, ferner der Entwurf für ein dreidimensionales Schachspiel und ausführliche Vorschläge für autobahnähnliche Verkehrssysteme in Los Angeles. Er plante auch, ein Lehrbuch über das Tennisspiel zu schreiben. Viel Zeit wurde auch auf das Verfassen von Reden verwandt, die er bereitwillig hielt, wenn ihn Organisationen darum baten, gleichgültig, ob es sich dabei um den Verband der amerikanischen Musiklehrer oder eine jüdische Vereinigung handelte.

Regelmäßig besuchte er die Mitgliederversammlungen der Urheberrechtsgesellschaft ASCAP, die die finanziellen Interessen der amerikanischen Musiker wahrnimmt. Dabei kam er in Kontakt mit Produzenten von Schlagern und Filmmusik und fühlte sich – sehr zum Erstaunen seiner Umgebung – äußerst wohl unter diesen Komponisten, die fast ausnahmslos nicht einmal seinen Namen kannten und deren jährliche Tantiemen die seinen um ein Vielfaches überstiegen. Der mit Schönberg befreundete und ebenfalls nach Los Angeles emigrierte Komponist Ernst Krenek schrieb über diese ASCAP-Sitzungen: «Ich kam mir vor wie in einer Gesellschaft von Erzeugern goldbeschlagener Cadillacs, zu der sonderbarerweise auch ein paar Hersteller unprofitabler Gießkannen zugelassen sind, weil sie ein ähnliches Blech verarbeiten.»[303]

Nachdem Schönberg für ein Jahr den Alchim-Lehrstuhl für Musikwissenschaft an der University of Southern California (USC) innegehabt hatte, erreichte ihn im Herbst 1936 eine Berufung an die weitaus größere University of California, Los Angeles (UCLA). Seine Schüler berichten, daß er immer «furchtbar korrekt und sehr europäisch»[304] auftrat und entgegen allen Erwartungen nicht Zwölftontechnik unterrichtete, sondern an Beispielen von Bach bis Brahms klassische Formenlehre betrieb. Entsetzt war er über die geringe musikalische Vorbildung und die *fossile Ästhetik*[305] seiner Schüler, die in der Mehrzahl Musik nur als Nebenfach belegt hatten; er vermißte die Kenntnis der wichtigsten Notenliteratur und fühlte sich *wie* Einstein, wenn er an *einer Mittelschule Mathematik zu unterrichten hätte*[306]. Für den Emigranten wurde zudem eine Isolation spürbar, derer er sich immer schmerzlicher bewußt wurde: *Wohl habe ich die Trennung von der alten Welt vollzogen, nicht ohne sie bis in die Knochen gespürt zu haben, denn ich war doch nicht darauf vorbereitet, daß sie mich sowohl heimatlos als auch sprachlos machen werde*[307] – und die erwartete soziale Anerkennung in seinem neuen Lebensbereich war bislang ausgeblieben. *Offen gesagt: ich bin sehr enttäuscht, daß sich nicht Kreise der Gesellschaft für mein Tun interessieren; daß nicht gewürdigt wird, was ich für das künftige musikalische Kulturniveau der Stadt leiste.*[308] Enttäuscht war er auch über eine offensichtliche Abstinenz, die amerikanische Dirigenten bei der Aufführung seiner Werke übten; Respighi, Strawinsky oder Hindemith seien häufig in den Programmen zu finden, während er dort nur äußerst selten, und wenn, dann mit der *Verklärten Nacht* oder den Bach-Bearbeitungen auftauche. Mit haßerfüllter Bitterkeit polemisierte er in Briefen an seine Freunde in Deutschland und Österreich gegen Otto Klemperer und Bruno Walter, von denen er annahm, daß auch sie sich dem mutmaßlichen Boykott seiner Produktion angeschlossen hätten.

143

Los Angeles, North Rockingham Avenue

Das Arbeitszimmer

Im Juli 1934 fragte er sich: *Für wen soll man schreiben? Die Nicht-Juden sind «konservativ», und die Juden haben nie Interesse für meine Musik gezeigt*[309] — eine deprimierende Bilanz für den Autor des *Biblischen Wegs*, den Komponisten von *Moses und Aron* und den Streiter für ein wiedererstandenes Judentum auf nationalstaatlicher Grundlage. Dennoch begann er einen Monat später sofort mit der Neufassung des traditionellen jüdischen Gebets «Kol Nidre», als ihn der Rabbiner Jakob Sonderling darum bat. In der Komposition des für Sprecher, Chor und Orchester geschriebenen Werkes griff Schönberg auf die wichtigsten Motivgruppen der ursprünglichen liturgischen Melodie zurück und sah es als eine der notwendigsten Aufgaben an, *die Cello-Sentimentalität der Bruch etc. wegzuvitriolisieren*[310]; zugleich erarbeitete er eine neue, aktualisierte Textfassung. Das Stück, innerhalb eines Gottesdienstes am Vorabend des Yom Kippur in einem Hotelsaal unter Schönbergs Leitung uraufgeführt, fand in der Folgezeit nicht den

George Gershwin malt das Porträt des Freundes und Tennispartners Arnold Schönberg. Beverly Hills, 1937

entsprechenden Anklang bei den jüdischen Gemeinden, um eine vom Komponisten erhoffte Reformwirkung auf die Liturgie auszuüben.

Abgesehen von der Beendigung der *II. Kammersymphonie*, deren Entwürfe bis 1906 zurückreichten und die er in einer Rekonstruktion seines damaligen Stils vollendete, kam die musikalische Produktion in den folgenden drei Jahren völlig zum Stillstand, bis 1941/42 drei bedeutende Werke entstanden — zu dieser Zeit eigentlich kaum noch erwartet, was Schönberg den Reaktionen der Musikwelt entnehmen konnte, als *viele erstaunt waren, daß ich noch etwas zu sagen habe*[311]. Die *Orgelvariationen*, die *Ode an Napoleon Buonaparte* und das *Klavierkonzert*, eine Werkgruppe höchst unterschiedlichen Charakters, werden gemeinhin unter der Kategorie eines «Spätstils» subsummiert, der sich durch eine gewisse Liberalität im Nebeneinander von alten und neuen Formen, von tonalen und seriellen Modi auszeichne. Dieser Klassifizierung steht eine Beobachtung gegenüber, die Adorno schon 1934 als Einwand gegen ein planes Evolutionsdenken formulierte, das in der zeitlichen Abfolge von Schönbergs Kompositionen einen organischen Zusammenhang zu vermissen glaubte: «So zwangvoll ein Werk Schönbergs dem andern folgt, so wenig entwächst eines dem anderen. Nicht in kleinsten Übergängen treten sie auseinander hervor, sondern im Umschlag.»[312] Konsequenz liegt im Grunde nur in der rastlosen Suche, mit der Schönberg nach neuen Ausdrucksmitteln suchte, eine Haltung, hinter der sich, wie René Leibowitz annahm, die Mentalität eines Glücksspielers verbarg, der stets von neuem alles wieder auf eine Karte setzt. Mit den *Variationen über ein Rezitativ für Orgel* op. 40 erprobte Schönberg zum erstenmal die Möglichkeiten dieses Instruments in seiner Arbeit, für das er sich schon sehr früh (Essayfragment über *Die Zukunft der Orgel*, 1904) interessiert hatte, wobei ihn gerade die Widerstände in diesem System der Klangerzeugung gereizt hatten: *Würde man nicht an die Großartigkeit der Orgelliteratur denken und an ihren wunderbaren Effekt in Kirchen, so würde man zu sagen haben, daß die Orgel heute ein veraltetes Instrument ist. Niemand, kein Musiker und kein Laie, braucht so viele Farben als die Orgel besitzt, mit anderen Worten — so viele Register. Dagegen wäre es sehr wichtig, daß sie eben jeden einzelnen Ton für sich selbst, nicht bloß eine ganze Oktavgattung, dynamisch verändern kann — vom leisesten pianissimo bis zum größten forte.*[313] Das Werk entstand 1941 im Auftrag der New Yorker Gray Company, die bei ihm ein Stück für ihre «Contemporary Organ Series» bestellte; Schönberg lieferte ein Particell, das erst 1947 in der Einrichtung durch den Organisten Carl Weinrich (Princeton) im Druck vorlag. Diese Registrierungsanweisung hatte der Komponist zunächst befürwortet; einige Jahre später jedoch kritisierte er, daß durch sie *das ganze Bild meiner Musik so verhatscht*[314] sei, zumal ihm

146

Mit seinen Kindern Nuria, Ronald und Lawrence

Aus dem Manuskript der «Ode an Napoleon Buonaparte»

aufgefallen war, daß Weinrich in einigen Fällen nicht dem Original gefolgt war. Da ihm während der Komposition keine Orgel als Korrektiv zur Verfügung stand, mußte er das Stück ohne Zuhilfenahme eines Instruments schreiben; erst Jahre später konnte er es zum erstenmal hören – in einer Klavierfassung, die sein Assistent Leonard Stein besorgt hatte.

Nach dem Ausbruch des Zweiten Weltkriegs beantragte er für sich und seine Familie die amerikanische Staatsbürgerschaft, die ihm 1940 verliehen wurde. Zahlreichen aus Deutschland und Österreich vertriebenen Freunden und Bekannten konnte er jetzt in größerem Umfang als bisher Affidavits verschaffen, jene begehrten Bürgschaftserklärungen, die die Einwanderung in die USA ermöglichten. *Mich erschüttern alle diese Schicksale, als ob es mein eigenes wäre, was es ja fast ist*[315], schrieb er an Alfred Hertz, den Dirigenten des San Francisco Symphony Orchestra, als er ihn um die Einstellung eines aus Deutschland geflohenen jüdischen Geigers ersuchte. Ein Reflex seiner Reaktion auf die Herrschaft des Faschismus in Mitteleuropa ist die *Ode an Napoleon Buonaparte* op. 41 (1942), für Streichquartett, Klavier und Sprecher, eine Vertonung von Byrons Haßgesang auf den französischen Diktator, der mit einer Apothese des ersten amerikanischen Präsidenten George Washington endet. Indem Schönberg zu diesem Zeitpunkt Byrons leidenschaftliche Anklagen gegen den Korsen zum Thema nahm, ist sein Werk durch die offensichtliche historische Parallele als kaum verschlüsselte Denunzierung des Hitler-Regimes zu verstehen. Die Musik zur Ode, die — entgegen seiner sonst üblichen Vertonungspraxis — die Textdeklamation *ununterbrochen untermalt, unterstreicht und illustriert*[316], ist auf einer Reihe aufgebaut, deren Tonwahl Dreiklänge und quasitonale Kadenzen ermöglicht, was nicht unwesentlich zu der verhältnismäßig leichten Faßlichkeit des Werkes beiträgt. — Im gleichen Jahr konnte auch das zweite seiner beiden Instrumentalkonzerte, das *Konzert für Klavier und Orchester* op. 42 abgeschlossen werden. Dem einsätzigen, deutlich in vier zusammenhängende Teile gegliederten Werk (Andante, Molto Allegro, Adagio, Giocoso) gab Schönberg auf Veranlassung seines Schülers Oscar Levant, für den das Stück zunächst bestimmt war, vier einführende Titel bei, deren bewußt allgemein gehaltene Programmatik an seine Überschriften zur *Begleitmusik zu einer Lichtspielszene* (1930) erinnert:

> *Das Leben war so leicht*
> *Plötzlich brach Haß aus*
> *Eine ernste Situation entstand*
> *Doch das Leben geht weiter*[317]

Die Uraufführung des Werkes, dessen Wirkung auf den Hörer Stukkenschmidt als «Zwangserlebnis»[318] charakterisierte, wurde 1944 im New Yorker Studio der NBC von Leopold Stokowski dirigiert, den Klavierpart spielte der langjährige Schönberg-Interpret Eduard Steuermann.

Als Schönberg am 13. September 1944 seinen 70. Geburtstag feiern konnte, brachte dieser Tag neben zahlreichen Glückwünschen, Ehrungen und Festkonzerten für ihn auch die Entlassung aus dem Lehrkörper der UCLA, dem er acht Jahre lang angehört hatte. Die ihm ausgezahlte monatliche Pension betrug 38 Dollar, ein Betrag, der wahrlich nicht ausreichte, um den Unterhalt der fünfköpfigen Familie zu sichern. Deshalb bewarb er sich um ein Stipendium der Guggenheim-Stiftung, *das*

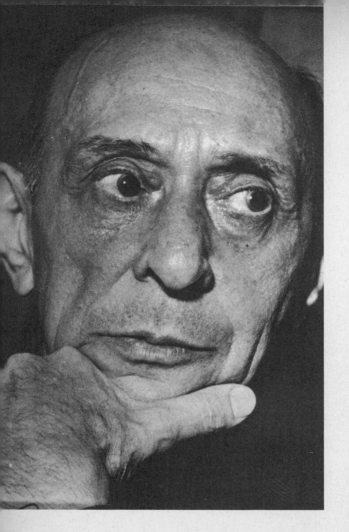

mich in die Lage versetzte, meine Zeit ganz oder wenigstens zum größ-
ten Teil der Vollendung meiner Werke zu widmen und auf ein Einkom-
men durch Unterricht oder andere ablenkende Tätigkeiten zu verzich-
ten[319]. Das Ersuchen wurde abgelehnt. Er mußte also weiterhin Privatstunden erteilen, von Spenden großzügiger Freunde leben und
mehrmals um Zuwendungen aus dem Hilfsfond der Urheberrechtsgesellschaft ASCAP bitten; einen Teil seiner Partituren verkaufte er der
Library of Congress. Zu diesem Zeitpunkt hatte der Siebzigjährige
sogar noch ernsthaft eine Auswanderung nach Neuseeland erwogen,

in ein Land, von dem er hoffte, daß dort der Dollar noch wesentlich kaufkräftiger sein würde. «Arnold Schönberg ist am Verhungern», notierte Alma Mahler-Werfel damals in ihrem Tagebuch.[320]

Los Angeles war während des Weltkriegs zu einem Zentrum deutscher Emigranten geworden, zu einer durch den Zwang der politischen Ereignisse unfreiwillig zustande gekommenen Kolonie von Schriftstellern, Philosophen und Musikern, der unter anderen Bertolt Brecht, Lion Feuchtwanger, Franz Werfel, Thomas Mann, Max Horkheimer, Theodor W. Adorno, Herbert Marcuse, Bruno Walter, Hanns Eisler, Paul Dessau und Ernst Křenek angehörten. Es wäre verfehlt, bei der Aufzählung dieser Namen eine Art kalifornischen Olymp des deutschen Geisteslebens annehmen zu wollen; zu verschieden waren die Charaktere, Mentalitäten und politischen Anschauungen der hier Zusammengewürfelten, als daß neben freundschaftlichem Verkehr nicht ebenso häufig Intrigen und Zerwürfnisse zu verzeichnen gewesen wären, die sich unter dem psychischen Druck der Isolation noch verschärften. Auch Schönberg, der leicht Verletzliche und oft Verletzende, verstrickte sich in diesem Gewirr von Spannungen. Bekannt ist seine Kontroverse mit Thomas Mann, der im kalifornischen Exil am «Faustus»-Roman arbeitete und sich bei der Darstellung musikalischer Probleme von Adorno beraten ließ. Mann war fasziniert von Adornos These des Zu-Ende-Denkens der abendländischen Musik, die er am Beispiel der sogenannten Zweiten Wiener Schule in Adornos «Philosophie der Neuen Musik» erläutert fand, und ließ die dämonische Hauptfigur seines Romans, den Musiker Leverkühn, eine Montage aus Biographien von Nietzsche, Hugo Wolf, Tschaikowsky, Berlioz und Hitler, sich der Reihentechnik als Kompositionsmethode bedienen. Gleich nach dem Erscheinen des Buches sandte er ein Exemplar mit der Widmung «Für Arnold Schönberg — dem Eigentlichen» nach Brentwood Park. Schönberg, der wegen eines sich verschlechternden Augenleidens den Roman nicht lesen konnte, erfuhr von seiner Umgebung, daß Mann darin die Zwölftontechnik beschrieben hatte und fühlte sich seines geistigen Eigentums beraubt; zudem befürchtete er, daß die Figur des luetisch infizierten Adrian Leverkühn als sein, Schönbergs, Porträt mißverstanden werden könne. Es folgte ein erbitterter, zum Teil in offenen Briefen ausgetragener Streit, in dessen Verlauf Schönberg Adorno, den Informanten Manns, als «informer» (Spitzel) anklagte und sich über *Leverkühns 12-Ton Gulasch* mokierte. *Leverkühn ist einer von diesen Amateuren, die glauben, das Komponieren mit zwölf Tönen bedeute nichts weiter als die fortgesetzte Anwendung der Grundreihe oder ihrer Umkehrungen.*[321] Auf mehrfaches Drängen Schönbergs und durch Vermittlung von Alma Mahler-Werfel gab Mann «als Avis für Uninformierte»[322] dem Roman in den nächsten Auflagen ein Post-

Thomas Mann, um 1945

*Die Widmung an Schön-
berg in einem Exemplar
des «Doktor Faustus»*

Arnold Schönberg,
dem *Eigentlichen*,

mit ergebenem Gruss

Pacif. Palisades   Thomas Mann
15. Januar 1948

skriptum bei: «Es scheint nicht überflüssig, den Leser zu verständigen, daß die im XXII. Kapitel dargestellte Kompositionsart, Zwölfton- oder Reihentechnik genannt, in Wahrheit das geistige Eigentum eines zeitgenössischen Komponisten und Theoretikers, Arnold Schönbergs, ist und von mir in bestimmten ideellen Zusammenhang auf eine frei erfundene Musikerpersönlichkeit, den tragischen Helden meines Romans, übertragen wurde. Überhaupt sind die musiktheoretischen Teile des Buches in manchen Einzelheiten der Schönbergschen Harmonielehre verpflichtet. Thomas Mann.»[323] Doch auch durch diese Klarstellung war Schönberg nicht zu besänftigen; man werde später noch sehen, wer wessen Zeitgenosse gewesen sei, höhnte er. Als es 1950 dann schließlich doch zu einem Friedensschluß kam, war der Graben zwischen den Lagern der Streitenden mittlerweile so tief geworden, daß Schönberg die Versöhnung nicht öffentlich bekanntgeben wollte, weil er befürchtete, *daß ich damit allen, die mir in diesem Kampf beigestanden haben – Freunden, Bekannten und Unbekannten – sozusagen in den Rücken fallen würde*[324]. In engem Zusammenhang mit dieser Kontroverse muß wahrscheinlich auch die absolut negative Beurteilung gesehen werden, die die Person Adornos und seine mittlerweile erschienene «Philosophie der Neuen Musik» durch Schönberg erfuhren. Vor allem mißfiel ihm Adornos Polemik gegen Strawinsky, den er selbst zwar nie sonderlich geschätzt hatte.

Nach fast einem halben Jahrhundert kam es unerwartet noch einmal zu einer Begegnung Schönbergs mit Strawinsky; zwar lebten beide seit Jahren in derselben Stadt, doch hatten sie ein Zusammentreffen bislang sehr sorgfältig vermieden. Es war Igor Strawinsky, der 1949 als Ehrengast eines Festkonzerts für Schönberg erschien, das Harold Byrns mit dem Los Angeles Chamber Symphony Orchestra dirigierte. Das herzliche Händeschütteln der Kontrahenten, eine Geste gegenseitiger menschlicher Hochachtung, war zu diesem Zeitpunkt das Symbol für den Abschluß eines langen Kapitels aus der Geschichte der musikalischen Moderne.

Nicht ohne Erschütterung bemerkten Schönbergs Freunde, daß seine Angst von einem Diebstahl seines geistigen Eigentums in den späten Jahren pathologische Züge angenommen zu haben schien. «Sein Argwohn erreichte fast den Grad des Verfolgungswahns»[325], sagte Rudolf Kolisch, eine Beobachtung, die auch Hanns Eisler bestätigte: «Ich bin mit Schönberg oft in seinen Garten gegangen, in Brentwood, in Kalifornien, wo er mir erklärt hat, daß er jetzt endlich soweit ist, zu erkennen – es war im tiefsten Krieg, Schönberg war vergessen damals –, daß es eine internationale Konspiration von Autographenjägern gibt. Die bestechen die Dienstmädchen, damit sie in den Häusern der größten Denker unserer Zeit sich eine Stellung suchen, um dort die

Die Palmenpromenade in Santa Barbara (Kalifornien), wo Schönberg im Sommer 1948 ein Kompositionsseminar abhielt

Manuskripte zu stehlen. Er behauptete, das wäre ein internationaler Ring, so wie ein Opiumring, oder wie Mädchenhandel. – Und ich sah den Schönberg an. Schönberg war hier wirklich am Zustand (durch die Isolierung) der Paranoia. Und ich dachte mir: wenn es nur schon soweit wäre, daß sich ein Ring von Gaunern zusammenfinden würde, um dem Schönberg durch Tricks die Manuskripte zu stehlen.»[326] Eisler war es auch, der Charlie Chaplin mit Schönberg bekannt machte und seinen Freund Bertolt Brecht in eine Vorlesung des Komponisten an der UCLA mitnahm. Auf Brecht machte «dieser erstaunlich temperamentvolle, gandhigleiche Mann in einer blauen kalifornischen Seidenjacke den Eindruck eines Gemischs von Genie und Verdrehtheit»[327]; er schrieb zu Schönbergs Geburtstag einen Kantatentext, der von Eisler vertont wurde.

Am 2. August 1946 erlitt Schönberg einen Herzinfarkt und konnte nur durch eine sofort vorgenommene intrakardiale Adrenalin-Injektion gerettet werden; während der Rekonvaleszenz entstand das *Streichtrio* op. 45, gleichsam als musikalisches Protokoll seiner Krankheit. Freunde berichten, daß er ihnen fast jeden Akkord dieses mit seinen abrupten Wechseln in Dynamik, Rhythmik und Ausdruck hochkomplexen Werkes als kompositorische Metaphern von Katastrophe und Rettung gedeutet hat.

Der Bericht eines polnischen Juden über die Massaker im Warschauer Ghetto war die Quelle für *Ein Überlebender aus Warschau* op. 46, trotz der nur achtminütigen Spieldauer ein Werk monumentalen Charakters. Die für Sprechstimme, Männerchor und Orchester geschriebene Komposition, 1947 auf Veranlassung der Koussevitzky Music Foundation entstanden, umfaßt drei deutlich voneinander abgehobene Ausdrucksschichten, denen die drei im Text verwandten Sprachebenen entsprechen: auf englisch der Bericht des Erzählers, die in Deutsch gesprochenen Befehle des Feldwebels und das hebräisch gesungene Schema Jisroel der Juden auf dem Weg in die Vernichtung. Mit diesem musikalischen Dokument tiefster Erschütterung durchbricht Schönberg den immer wieder von ihm selbst postulierten Zirkel des l'art pour l'art.

Obwohl vielfach dazu aufgefordert, war er nach Kriegsende nicht bereit, ein moralisches Urteil über jene Künstler zu fällen, die während der Herrschaft des Faschismus in Deutschland geblieben waren und mit Duldung des Regimes dort weitergearbeitet hatten. Er stellte sich sogar wirkungsvoll allen Angriffen entgegen, denen jetzt zahlreiche prominente Künstler ausgesetzt waren, bekannte sich offen zu Wilhelm Furtwängler und verfaßte ein Rehabilitationsschreiben für Hans Pfitzner, das diesen vor dem Ärgsten bewahren konnte: *Kein Wunder, daß nach dem Abwandern so vieler musikalischer Kräfte Pfitzner unter den wenigen, die verblieben, der erstklassige war und als solcher die Anerkennung fand, die ihm früher zu unrecht nicht immer zuteil geworden war.*[328]

Für den amerikanischen Geiger Adolf Kodolfsky, der 1948 an der Uraufführung des *Streichtrio* teilgenommen hatte, schrieb Schönberg 1949 die *Phantasie für Violine mit Klavierbegleitung* op. 47. Das einsätzige Werk (*Es ist sehr schwer*[329]) soll, wie schon der Titel besagt, weder als reines Solo-Stück noch als Duo für Violine und Klavier verstanden werden; komponiert wurde zunächst allein der Violinpart, dem die Klavierstimme als kontrastierende Begleitrolle beigefügt wurde. Adolf Kodolfsky und Leonard Stein spielten das Stück zum erstenmal an einem dem Komponisten gewidmeten Konzertabend der International Society of Contemporary Music in Los Angeles zu Schönbergs 75. Geburtstag. — Dieser 13. September 1949 brachte für ihn als Geste der Anerkennung und Versöhnung die Verleihung der Ehrenbürgerrechte durch seine Heimatstadt Wien, die ihn sofort nach Kriegsende zur Rückkehr und Mithilfe beim kulturellen Wiederaufbau eingeladen hatte. Noch wenige Jahre zuvor hatte er sich eingestehen müssen: *Ich bin mir der Tatsache bewußt, daß volles Verstehen meiner Werke für*

Mit Charlie Chaplin in Hollywood

einige Jahrzehnte nicht erwartet werden kann.[330] Jetzt erreichten ihn zahllose Briefe, Glückwünsche und Ehrungen aus aller Welt, auf die er mit einem vervielfältigten Dankesbrief *etwas beschämt über all diese Lobpreisungen*[331] antwortete.

Nachdem Schönberg zuvor eine Kodifizierung abstrakt-ethischer *Menschenrechte* unternommen hatte, begann er 1950 als Ausdruck seines religiösen Bekenntnisses mit der Dichtung *Moderne Psalmen*, als ein Versuch, *zu den Menschen unserer Zeit in unserer Sprache zu*

Mit Frau Gertrud und den Kindern Lawrence («Larry»), Ronald («Ronny») und Nuria. Ende der vierziger Jahre

Beim Diktat in seinem Arbeitszimmer

sprechen und von unseren Problemen[332]. Der todkranke, seit Monaten ans Bett gefesselte Komponist konnte das Werk nicht mehr vollenden; das Particell, wegen des fortgeschrittenen Augenleidens auf Notenpapier mit besonders großem Linienabstand notiert, bricht bei Takt 86 ab. Am 13. Juli 1951 starb Schönberg in Los Angeles.

NACHBEMERKUNG

Mein Dank gilt allen, die mir beim Entstehen der vorliegenden Arbeit Rat Förderung und Hilfe zuteil werden ließen, vor allem Mr. Lawrence A. Schoenberg, Los Angeles. Für wertvolle informative Gespräche habe ich Frau Helene Berg, Wien, Herrn Josef Polnauer, Wien, Dr. Otto Breicha, Wien, Professor Richard Hoffmann, Oberlin/Ohio und vor allem Dr. Leonard Stein, Los Angeles, herzlich zu danken.

Eberhard Freitag

ZEITTAFEL

1874	Geboren am 13. September in Wien
1882	Beginnt (als Autodidakt) mit dem Studium des Geigenspiels; erste Kompositionen nach klassischen Vorbildern
1885	Besuch des Gymnasiums
1891	Banklehre; Freundschaft mit Alexander von Zemlinsky. Leiter eines Metallarbeiter-Chors in Stockerau
1898	Liedkompositionen, später als Opus 1 bis 3 veröffentlicht
1901	Heirat mit Mathilde von Zemlinsky. Übersiedlung nach Berlin, Kapellmeister an Ernst von Wolzogens «Überbrettl»
1902	Erhält das Liszt-Stipendium. Lehrstelle am Sternschen Konservatorium. Bekanntschaft mit Richard Strauss. Geburt der Tochter Gertrud
1903	Im Juli Rückkehr nach Wien. Unterricht an der Schwarzwald-Schule. Bekanntschaft mit Gustav Mahler
1904	Gründung des «Vereins schaffender Tonkünstler». Anton von Webern und Alban Berg werden seine Schüler
1906	Sohn Georg geboren
1907–1908	Skandalszenen bei der Uraufführung der beiden ersten *Streichquartette* und der *Kammersymphonie*
1910	Erste Ausstellung seiner Gemälde in einer Wiener Buchhandlung. Seine Bewerbung um eine Professur für Komposition an der Wiener Akademie wird abgelehnt; Lehrtätigkeit als Privatdozent außerhalb des offiziellen Akademieprogramms
1911	Abschluß der *Harmonielehre* und der Partitur der *Gurrelieder*. Im Herbst zweite Übersiedlung nach Berlin, wo er eine Dozentur am Sternschen Konservatorium übernimmt
1912	Komposition des *Pierrot lunaire*. Konzerttournee des Pierrot-Ensembles in zahlreichen deutschen und österreichischen Städten. Bekanntschaft mit Igor Strawinsky
1913	Erfolgreiche Premiere der *Gurrelieder* in Wien
1914	Als Dirigent eigener Werke in England und den Niederlanden
1915	Einberufung zum Militär. Arbeit an Libretto und Partitur zur *Jakobsleiter*
1916	Ausbildung in der Reserveoffiziersschule in Bruck a. d. Leitha; im Herbst Freistellung vom Militär
1917	Erneute Einberufung, Dienst in einer Militärkapelle
1918	Nach Kriegsende Gründung des «Vereins für musikalische Privataufführungen»
1920	Konzerttournee und Kompositionskurse in den Niederlanden
1921	Neuausgabe der *Harmonielehre*
1923	Bekanntgabe seiner Methode der *Komposition mit zwölf Tönen*, musiktheoretische Kontroverse mit Josef Matthias Hauer. Im Herbst Tod seiner Frau Mathilde
1924	Anläßlich seines 50. Geburtstags erscheint eine Festschrift im Verlag der Wiener Universal-Edition. Er dirigiert die *Serenade* beim Musikfest in Donaueschingen. Uraufführung der Einakter

	Erwartung und *Die glückliche Hand*. Er heiratet Gertrud Kolisch
1925	Berufung als Leiter einer Meisterklasse für Komposition an die Berliner Akademie der Künste. Ehrenmitgliedschaft der Academia Santa Cecilia, Rom
1926	Dritter Umzug nach Berlin
1928	Wilhelm Furtwängler leitet die Berliner Uraufführung der *Orchestervariationen*
1930	*Von heute auf morgen* am Frankfurter Opernhaus uraufgeführt
1931	Kompositionsurlaub in Spanien. Bekanntschaft mit Pablo Casals. Arbeit an *Moses und Aron*
1932	Rückkehr nach Berlin. Geburt der Tochter Nuria
1933	Aus der Lehrtätigkeit an der Berliner Akademie entlassen, Emigration über Paris in die USA. Als Musikerzieher am Malkin Conservatory in Boston/Mass.
1934	Übersiedlung nach Los Angeles, Privatunterricht und Vorträge an der University of Southern California (USC)
1936	Lehrstuhl an der University of California (UCLA). Arbeit am *Violinkonzert* und am *IV. Streichquartett*
1937	Geburt des Sohnes Ronald
1940	Amerikanische Staatsbürgerschaft. Kompositionsabschluß der (1906 begonnenen) *II. Kammersymphonie*
1941	Er hält die Faculty Research Lecture an der UCLA über *Komposition mit zwölf Tönen*. Sein jüngster Sohn, Lawrence Adam, wird geboren
1942	*Ode an Napoleon Buonaparte*. Manuskript des Lehrbuchs *Models for Beginners in Composition*
1944	Aus Altersgründen Emeritierung von der Universität
1945	Sein Ersuchen um ein Stipendium der Guggenheim-Stiftung wird abgewiesen, die finanzielle Notlage zwingt ihn zu neuerlichem Privatunterricht
1946	Herzinfarkt; während der Rekonvaleszenz Komposition des *Streichtrios*
1949	Kontroverse mit Thomas Mann um dessen Roman «Doktor Faustus». Verleihung der Ehrenbürgerrechte der Stadt Wien
1950	Entwurf der *Menschenrechte*. Niederschrift und Beginn der *Komposition der Modernen Psalmen*
1951	Am 13. Juli in Los Angeles gestorben

ZEUGNISSE

RICHARD SPECHT

Keiner wird es sagen dürfen, daß er recht hat und daß Schönberg irrt.
Soll Schönberg aber recht behalten, so wird ein Umlernen nottun, und
entscheidend wird es sein, ob er die Kraft haben wird, zu diesem Umlernen zu zwingen.

1911[333]

ERNST KŘENEK

Es gibt wohl kaum einen Komponisten — und die ganze Musikgeschichte dürfte kein ähnliches Beispiel aufweisen —, dessen wesentliche
Werke relativ so selten gespielt, in ihrer tönenden Gestalt so wenig
bekannt sind wie die Werke Arnold Schönbergs und der dabei doch
einen so tiefgreifenden und verwandelnden Einfluß auf seine gesamte
Zeitgenossenschaft ausgeübt hätte wie dieser Meister.

1934[334]

FRANZ WERFEL

In Arnold Schönbergs Persönlichkeit und Kunst verehren wir vor
Allem das unerbittliche Streben nach dem Absoluten, eine Willens-
größe und ein Vollkommenheitsideal, das einer zwecktrüben und sinn-
zermürbten Zeitgenossenschaft kaum mehr begreiflich ist. In seiner
Hingabe an das Unbedingte ist dieser Meister der Musik am ehesten
mit den alten Meistern der Kabbala zu vergleichen. Wie diese durch die
«Heiligung des Namens» das Göttliche in die irdische Sphäre ziehen
wollten, so versucht Arnold Schönberg, durch die Heiligung des Kunstwerks, das heißt durch Ausschaltung aller unreinen Nebenzwecke
(Wirkung, Erfolg, Eingänglichkeit) das Absolute in die Welt der Töne
zu ziehen. So vollbringt er in der starken und mutvollen Einsamkeit des
Mystikers, jenseits von Zustimmung und Teilnahme, ein Werk der
hohen Zwiesprache, über welches eine geistigere Zeit als die unsere ein
Urteil finden wird.

1934[335]

Als Zeugnis unablässiger Ehrlichkeit gegen sich selbst hat sein Werk beispielgebende Bedeutung für die Nachwelt. Daß es bis heute immer noch mehr Angelegenheit einer Adeptengemeinschaft als Objekt ruhig wägender Forschung geblieben ist, muß man beklagen. Denn dieses Werk ist heute bereits völlig historisch geworden. Als solches steht es in der Intransigenz seiner ethischen Grundhaltung absolut vorbildlich da, als äußerstes Zuendedenken der Ansatzpunkte des 19. Jahrhunderts ist es von unerläßlicher Wichtigkeit.

1934[336]

Hans E. Wind

Die Gesellschaft der Zukunft wird durch Umwälzung des gesellschaftlichen Zweckes der Musik den scharf antagonistischen Charakter der spätbürgerlichen Musik beseitigen. Damit wird die Schönbergsche Musik vernichtet und verwirklicht. Sie wird vernichtet in ihrer bornierten Einseitigkeit, in ihrer mechanischen Negation der Harmonik; sie wird verwirklicht, insoferne sie auf die Aufhebung der bürgerlichen harmonischen Musik und auf die Schaffung einer Klangmusik hinzielt.

1935[337]

Igor Strawinsky

Welcher Ansicht man auch über die Musik Arnold Schönbergs sein mag – um einen Komponisten als Beispiel zu nehmen, der sich auf der Grundlage entwickelte, die technisch wie ästhetisch von der meinigen völlig verschieden ist und dessen Werke oft heftigen Widerspruch oder ironisches Lächeln hervorgerufen haben – wer eine wahre musikalische Kultur hat und ehrlich ist, wird fühlen, daß der Komponist des *Pierrot lunaire* genau sich dessen bewußt ist, was er tut und daß er niemanden irreführt.

1939[338]

Aaron Copland

Heute ermessen wir, daß in seinem Kampf eine zwangsläufige Tragik lag, die darin bestand, daß er von seiner romantischen Herkunft um so

164

mehr gefesselt wurde, je mehr er sich von ihr lösen wollte. Die Gefühls-
intensität seiner Musik nahm zu statt ab. Das Ergebnis war eine Art
noch ärgeren und übersteigerten Romantizismus, wie man ihn seitdem
als musikalischen Expressionismus kennt.

1947 [339]

THEODOR W. ADORNO

Schönbergs Musik tut dem Hörer Ehre an, indem sie ihm nichts konze-
diert.

1953 [340]

HANNS EISLER

Diese unerbittliche Strenge, dieses Streben nach musikalischer Wahrheit, die gewiß oft in einem Gegensatz steht zu seinen weltanschaulichen Dingen, ist der größte Eindruck meines Lebens gewesen.

1958 [341]

ANMERKUNGEN

1 Nachlaß in Los Angeles (Typoskript; unveröffentlicht). © Belmont Music Publishers

2 In: «Österreichische Musikzeitschrift» 5/6 (1969), S. 282

3 «Portrait of Schoenberg». [Interviews, zusammengestellt von Hans Keller.] BBC London, III. Programm, 6. November 1965 und 1. Dezember 1965 [= BBC]

4 Ebd.

5 Deutsch in: «Österreichische Musikzeitschrift», a. a. O.

6 «Arnold Schönberg zum 60. Geburtstag am 13. September 1934». Wien 1934. S. 33 f

7 In: «Österreichische Musikzeitschrift», a. a. O., S. 284

8 Nachlaß

9 Vgl. Reinhard Gerlach: «War Schönberg von Dvořák beeinflußt?» In: «Neue Zeitschrift für Musik» 3 (1972)

10 «Der Blaue Reiter». Hg. von Wassily Kandinsky und Franz Marc. Dokumentarische Neuausg. von Klaus Lankheit. München 1965. S. 66

11 Richard Dehmel: «Zwei Menschen. Roman in Romanzen». In: Dehmel, «Gesammelte Werke in 3 Bänden». Berlin 1913. S. 146

12 In: «Stimmen» 9/10 (1948), S. 258 f

13 «Finale und Auftakt. Wien 1898–1914». Hg. von Otto Breicha und Gerhard Fritsch. Salzburg 1964. S. 245

14 Zit. nach Abschrift im Nachlaß

15 BBC

16 Heinz Greul: «Bretter, die die Welt bedeuten. Kulturgeschichte des Kabaretts». Köln–Berlin 1967. S. 97

17 Ebd.

18 «Gespräche mit Komponisten». Hg. von Willi Reich. Zürich 1965. S. 214

19 Ebd.

20 Greul, a. a. O., S. 98

21 Ebd., S. 101

22 «Die Streichquartette der Wiener Schule. Schoenberg, Berg, Webern. Eine Dokumentation». Hg. von Ursula von Rauchhaupt. Hamburg 1971. S. 37

23 Winfried Zillig: «Variationen über neue Musik». München 1959. S. 66

24 Ausgabe vom 2. Februar 1905

25 Willi Reich: «Arnold Schönberg oder Der konservative Revolutionär». Wien–Frankfurt a. M.–Zürich 1968. S. 25

26 *Briefe*. Hg. von Erwin Stein. Mainz 1958. S. 52

27 *Harmonielehre*. 3. Aufl. Wien 1922. Vorwort, S. VI

28 BBC

29 Adolf Loos: «Sämtliche Schriften» Bd. 1. Wien 1962. S. 400

30 *Briefe*, a. a. O., S. 154 f

31 Ebd., S. 155

32 In: «Österreichische Musikzeitschrift» 1 (1961), S. 19

33 Ebd.

34 Reich, a. a. O., S. 65

35 *Briefe*, a. a. O., S. 157
36 In: «Österreichische Musikzeitschrift», a. a. O.
37 *Schöpferische Konfessionen*. Hg. von Willi Reich. Zürich 1964. S. 79
38 Ebd.
39 «Gustav Mahler». Tübingen 1966. S. 11
40 Dika Newlin in: «Chord and Discord» 2 (1948), S. 22
41 Ebd.
42 Reich, a. a. O., S. 33
43 Ebd., S. 31 f
44 «Wien um 1900». [Katalog; Kulturamt der Stadt] Wien 1964. S. XVIII
45 Ebd., S. XVII
46 Ebd., S. XVIII
47 «Gustav Mahler», a. a. O., S. 145
48 «Musik und Verlag». [Festschrift K. Vötterle.] Kassel 1968. S. 125
49 Ebd.
50 In: «Stimmen», a. a. O., S. 262
51 Reich, a. a. O., S. 92 f
52 Anton von Webern in: «Rheinische Musik- und Theaterzeitung» (Köln) vom 17. Februar 1912, S. 100
53 Nachlaß
54 Reich, a. a. O., S. 98
55 Jan Meyerowitz: «Arnold Schönberg». Berlin 1967. S. 40
56 «Arnold Schönberg zum 50. Geburtstage». [Sonderheft von «Anbruch».] Wien 1924. S. 320
57 In: «Stimmen», a. a. O.
58 «Die Streichquartette der Wiener Schule», a. a. O.
59 Webern, a. a. O., S. 102
60 «Die Streichquartette der Wiener Schule», a. a. O., S. 40
61 «Arnold Schönberg zum 50. Geburtstage», a. a. O.
62 Arnold Schönberg in: «Programmheft der Internationalen Ferienkurse für Neue Musik». Darmstadt 1953
63 «Arnold Schönberg zum 50. Geburtstage», a. a. O.
64 *Harmonielehre*, a. a. O., S. 482
65 Ebd.
66 «The Music of Arnold Schoenberg» vol. III. Columbia Records 1965. Beiheft S. 32
67 Ebd.
68 *Briefe*, a. a. O., S. 50
69 Ausgabe vom 9. Februar 1907
70 Webern, a. a. O., S. 118
71 *Briefe*, a. a. O., S. 31
72 Diskussion mit Arnold Schönberg im Berliner Rundfunk (1930). Nachschrift im Nachlaß
73 In: «Österreichische Musikzeitschrift» 5/6 (1969), S. 288
74 Diskussion . . ., a. a. O.
75 Programmheft . . ., a. a. O.
76 *Briefe*, a. a. O., S. 111
77 Diskussion . . ., a. a. O.

78 *Briefe*, a. a. O., S. 52

79 Diskussion . . ., a. a. O.

80 *Briefe*, a. a. O., S. 18

81 *Harmonielehre*, a. a. O., S. V

82 Reich, a. a. O., S. 45

83 Webern, a. a. O., S. 122

84 Ebd.

85 Diskussion . . ., a. a. O.

86 «Musikalisches Taschenbuch». Wien 1911. S. 22

87 Paul Linke in: «Katalog der Schönberg-Ausstellung». Kunstsalon Heller. Wien 1910. S. 2

88 Ebd.

89 «Musikalisches Taschenbuch», a. a. O.

90 Ebd.

91 «Arnold Schönberg zum 50. Geburtstage», a. a. O., S. 328

92 «Musikalisches Taschenbuch», a. a. O., S. 25

93 Ebd., S. 26 f

94 Ferruccio Busoni: «Wesen und Einheit der Musik». Berlin 1956. S. 211 f

95 Nachlaß

96 In: «Österreichische Musikzeitschrift», a. a. O., S. 286

97 Nachlaß

98 Ebd.

99 *Harmonielehre*, a. a. O., S. 487

100 Karl Heinrich Ehrenforth: «Ausdruck und Form». Bonn 1963. S. 39

101 Webern, a. a. O., S. 119

102 «Der Blaue Reiter», a. a. O., S. 74

103 Ebd.

104 *Briefe*, a. a. O., S. 268

105 Josef Rufer: «Das Werk Arnold Schönbergs». Kassel–Basel–London–New York 1959. S. 13 f

106 «Der Blaue Reiter», a. a. O., S. 61 f

107 Ebd.

108 Reich, a. a. O., S. 75

109 Interview mit Halsey Stevens. Columbia Records M2 S 709

110 Nachlaß

111 Interview mit Halsey Stevens, a. a. O.

112 Ebd.

113 Ausgabe vom 9. Oktober 1910

114 *Briefe*, a. a. O., S. 20

115 «Arnold Schönberg». München 1912. S. 74 f

116 BBC

117 Rufer, a. a. O., S. 179

118 «Arnold Schönberg», a. a. O., S. 60

119 «Der Blaue Reiter», a. a. O., S. 260

120 Ebd., S. 66

121 Ebd., S. 75

122 Rufer, a. a. O.

123 August Macke–Franz Marc: «Briefwechsel 1910–1914». Köln 1964. S. 99

124 «Der Blaue Reiter», a. a. O., S. 202
125 Ebd., S. 293
126 Macke und Marc, a. a. O., S. 40
127 *Harmonielehre*, a. a. O., S. 4
128 Ebd., S. 6
129 Ebd., S. 497
130 In: «Allgemeine Musikzeitung» (Berlin–Leipzig) vom 20. Oktober 1911, S. 1008 f
131 Ebd.
132 Ebd.
133 Ebd.
134 Ebd.
135 Ebd.
136 Deutsch-engl. Textfassung. Hg. von Associated Music Publishers. New York o. J. S. 14
137 Theodor W. Adorno: «Philosophie der Neuen Musik». 2. Aufl. Frankfurt a. M. 1958. S. 41
138 *Briefe*, a. a. O., S. 38
139 In: «Anbruch» 2 (1928), S. 60
140 «Der Blaue Reiter», a. a. O., S. 294
141 *Texte*. Wien 1926. S. 16
142 Ebd., S. 17
143 Ebd., S. 19 f
144 Ebd., S 5
145 Ebd., S. 12
146 *Briefe*, a. a. O., S. 41
147 Ebd.
148 Ebd., S. 22
149 Ebd., S. 24
150 Reich, a. a. O., S. 84
151 Ebd., S. 66
152 In: «Der Merker» 17 (1911), S. 699
153 Ebd., S. 697 f
154 Kopie im Nachlaß
155 *Briefe*, a. a. O., S. 26
156 «Arnold Schönberg zum 50. Geburtstage», a. a. O., S. 327 f
157 Hans Heinz Stuckenschmidt: «Arnold Schönberg». 2. Aufl. Zürich–Freiburg i. B. 1957. S. 71
158 Nachlaß
159 Helmut Kirchmeyer: «Die zeitgeschichtliche Symbolik des Pierrot lunaire». In: Beiheft zur Wergo-Schallplatte WER 60001, S. 13
160 Albert Giraud und Otto Erich Hartleben: «Pierrot lunaire». München 1911. S. 38
161 «Arnold Schönberg zum 50. Geburtstage», a. a. O.
162 Vorwort in der Partitur (Universal-Edition Nr. 5336)
163 In: «Melos» 5 (1966), S. 141
164 Salka Viertel: «The Kindness of Strangers». New York 1969. S. 58
165 *Briefe*, a. a. O., S. 160

166 Igor Strawinsky: «Leben und Werk». Mainz 1957. S. 50
167 «Perspectives on Schoenberg and Stravinsky». Hg. von Benjamin Boretz und Edward T. Cone. Princeton 1968. S. 112
168 James Gibbons Huneker: «Ivory, Apes and Peacocks». New York 1957. S. 60 f
169 In: «Musica» 1 (1971), S. 19
170 *Briefe*, a. a. O., S. 68
171 Ebd., S. 127 f
172 «Schoenberg». Hg. von Merle Armitage. New York 1937. S. 223
173 Ebd., S. 224
174 «Arnold Schönberg zum 50. Geburtstage», a. a. O., S. 322
175 Ebd.
176 Egon Wellesz: «Arnold Schönberg». Leipzig–Wien–Zürich 1921. S. 44
177 Ebd.
178 *Briefe*, a. a. O., S. 46
179 «Arnold Schönberg zum 50. Geburtstage», a. a. O., S. 327
180 In: «Melos» 6 (1966), S. 178 f
181 Rufer, a. a. O., S. 111
182 In: «Die Reihe» Bd. 2. Wien 1955. S. 20
183 Vgl. Denis Dille: «B. Bartók und Wien». In: «Österreichische Musikzeitschrift» 11 (1964), S. 510 f
184 *Briefe*, a. a. O., S. 50 f
185 Theodor W. Adorno: «Prismen». Frankfurt a. M. 1955. S. 204
186 Rufer, a. a. O., S. 102 f
187 Ebd.
188 Ebd.
189 *Texte*, a. a. O., S. 28
190 Karl H. Wörner: «Die Musik in der Geistesgeschichte». Bonn 1970. S. 171 f
191 Sixten Ringbom: «The Sounding Cosmos». Åbo 1970
192 *Texte*, a. a. O., S. 41
193 Ebd., S. 45 f
194 In: «Österreichische Musikzeitschrift» 5 (1961), S. 200
195 Zillig, a. a. O., S. 85
196 *Briefe*, a. a. O., S. 145
197 «Arnold Schönberg zum 60. Geburtstag», a. a. O., S. 12
198 Alban Berg: «Briefe an seine Frau». München 1965. S. 343
199 Ebd.
200 In: «Österreichische Musikzeitschrift» 3 (1971), S. 121
201 *Briefe*, a. a. O., S. 70
202 «Von Neuer Musik». Hg. von Heinrich Grues [u. a.]. Köln 1925. S. 31
203 Ebd.
204 Nachlaß
205 Ebd.
206 Vgl. «Österreichische Musikzeitschrift» 3 (1958), S. 97
207 Rufer, a. a. O., S. 26
208 Nachlaß (8. Mai 1923)
209 Diskussion . . ., a. a. O.

210 «Das musikalisch Neue und die Neue Musik». Hg. von Hans Peter Rei-
necke. Mainz 1969. S. 55
211 *Schöpferische Konfessionen*, a. a. O., S. 102
212 Ebd.
213 Stuckenschmidt, a. a. O., S. 89
214 «Arnold Schönberg zum 50. Geburtstage», a. a. O.
215 Nachlaß
216 «Komponisten über Musik». Hg. von Samuel Morgenstern. München
1956. S. 323
217 In: «Anbruch» 7/8 (1929), S. 290
218 Egon Wellesz: «The Origins of Schoenberg's Twelve-Tone System».
Washington, D. C. 1958. S. 7
219 Ebd., S. 9
220 *Briefe*, a. a. O., S. 107
221 Helmut Kirchmeyer: «Schönberg und Hauer». In: «Neue Zeitschrift für
Musik» 7/8 (1966), S. 258 f
222 Ebd., S. 262
223 Ebd., S. 259
224 Nachlaß
225 Ebd.
226 Hermann Pfrogner: «Die Zwölfordnung der Töne». Zürich–Leipzig–
Wien 1953. S. 232
227 «Komponisten über Musik», a. a. O., S. 322
228 Berg, a. a. O., S. 354 f
229 «Schweizerische Musikzeitung» 6 (1965), S. 340
230 «Arnold Schönberg zum 50. Geburtstage», a. a. O., S. 325
231 Reich, a. a. O., S. 158 f
232 «Schweizerische Musikzeitung», a. a. O., S. 342
233 *Briefe*, a. a. O., S. 51
234 «Schönberg – Webern – Berg». [Katalog des Museums des XX. Jahrhun-
derts] Wien 1969. S. 40
235 Berg, a. a. O., S. 473
236 *Briefe*, a. a. O., S. 90
237 Nachlaß
238 *Briefe*, a. a. O., S. 92 f
239 Nachlaß
240 Ebd.
241 *Briefe*, a. a. O., S. 95
242 Hans Bunge: «Fragen Sie mehr über Brecht. Hanns Eisler im Gespräch».
München 1970. S. 168
243 Ebd., S. 169
244 *Briefe*, a. a. O., S. 116
245 Ebd., S. 113
246 *Schöpferische Konfessionen*, a. a. O., S. 103
247 Berg, a. a. O., S. 526
248 «Arnold Schönberg zum 50. Geburtstage», a. a. O., S. 269
249 Ebd., S. 270
250 *Briefe*, a. a. O., S. 115

251 Vorwort in der Partitur der Chorsatiren op. 28
252 Ebd.
253 Nachlaß (13. Februar 1922)
254 Nachlaß
255 «Die Streichquartette der Wiener Schule», a. a. O., S. 66
256 In: «Stimmen» 1 (1947), S. 2
257 *Briefe*, a. a. O., S. 124
258 Ebd., S. 118
259 «Die Streichquartette der Wiener Schule», a. a. O., S. 165
260 Carl Dahlhaus: «Schönbergs Variationen für Orchester». München 1968. S. 26
261 «Gespräche mit Komponisten», a. a. O., S. 217 f
262 Ausgabe vom 4. Februar 1928
263 Nachlaß
264 Ebd.
265 Rufer, a. a. O., S. 38
266 Hans Ferdinand Redlich: «Unveröffentlichte Briefe Alban Bergs an Arnold Schönberg». In: «Festschrift Friedrich Blume zum siebzigsten Geburtstag». Kassel 1963. S. 275
267 In: «Österreichische Musikzeitschrift» 5/6 (1965), S. 304
268 In: «Anbruch» 2 (1930), S. 74
269 *Briefe*, a. a. O., S. 255
270 Ebd., S. 159
271 So die Vermutung von Kurt Blaukopf
272 *Briefe*, a. a. O., S. 178
273 Nachlaß
274 Ebd.
275 *Briefe*, a. a. O., S. 197
276 Nachlaß
277 *Briefe*, a. a. O., S. 148
278 Ebd., S. 164
279 Ebd., S. 188
280 *Moses und Aron* [Textauszug]. Mainz 1957. S. 29
281 Ebd., S. 32
282 Karl H. Wörner: «Prima la seria – dopo la musica?» In: «Aspekte der Neuen Musik. Festschrift für Hans Heinz Stuckenschmidt». Kassel 1968. S. 38 f (vgl. a. Wörner, «Gotteswort und Magie». Heidelberg 1959 und «Die Musik in der Geistesgeschichte», a. a. O., S. 83 f)
283 Josef Rufer: «Die Komposition mit zwölf Tönen». Berlin 1952. S. 89
284 Perspectives . . ., a. a. O., S. 62
285 *Moses und Aron*. Klavierauszug von Winfried Zillig. Mainz o. J. S. 303
286 Rufer, Das Werk . . ., a. a. O., S. 201
287 Reich, a. a. O., S. 244
288 Nachlaß (25. September 1933)
289 In: «Der Turm» (Wien), Jg. 2, H. 8, S. 278
290 *Briefe*, a. a. O., S. 201
291 Ebd., S. 200
292 Ebd., S. 205

293 «Die Streichquartette der Wiener Schule», a. a. O., S. 66

294 Rufer, Das Werk . . ., a. a. O., S. 64

295 Ebd., S. 65

296 Ebd., S. 63

297 Perspectives . . ., a. a. O., S. 47

298 «Schoenberg», a. a. O., S. 149

299 Nachlaß

300 BBC

301 «Die Streichquartette der Wiener Schule», a. a. O., S. 156

302 Ebd., S. 157

303 In: «Kontrapunkte» Bd. 2. Rodenkirchen 1958. S. 143

304 Dika Newlin in: BBC

305 *Briefe*, a. a. O., S. 222

306 Ebd., S. 214

307 Ebd., S. 206 f

308 Ebd., S. 211 f

309 Ebd., S. 221

310 Rufer, Das Werk . . ., a. a. O., S. 48

311 *Briefe*, a. a. O., S. 237

312 «Arnold Schönberg zum 60. Geburtstag». Wiederabdruck in: Theodor W. Adorno, «Impromptus». Frankfurt a. M. 1968. S. 39

313 Rufer, Das Werk . . ., a. a. O., S. 50

314 Ebd. S. 49 (vgl. Reinhold Brinkmann: «Einige Bemerkungen zu Schönbergs Orgelvariationen». In: «Musik und Kirche» 39/1969, S. 67 f, sowie Juan Allende-Blin: «Zu Reinhold Brinkmanns Aufsatz ‹Einige Bemerkungen zu Schönbergs Orgelvariationen›». In: «Musik und Kirche» 1 (1970), S. 34 f)

315 *Briefe*, a. a. O., S. 219

316 Rufer, Das Werk . . ., a. a. O., S. 51

317 Ebd., S. 53

318 Stuckenschmidt, a. a. O., S. 130

319 *Briefe*, a. a. O., S. 245

320 Alma Mahler-Werfel: «Mein Leben». Frankfurt a. M.–Hamburg 1963. S. 278

321 Rufer, Das Werk . . ., a. a. O., S. 132

322 Thomas Mann: «Briefe 1948–1955». Frankfurt a. M. 1965. S. 61

323 Thomas Mann: «Doktor Faustus». Frankfurt a. M. 1965. S. 677

324 *Briefe*, a. a. O., S. 292

325 BBC

326 Bunge, a. a. O., S. 177 f

327 Ebd., S. 176 f

328 Nachlaß

329 *Briefe*, a. a. O., S. 284

330 Ebd., S. 261

331 Ebd., S. 301

332 In: «Melos» 11 (1959), S. 330

333 Richard Specht: «Arnold Schönberg. Eine Vorbemerkung». In: «Der Merker» (Wien) 17 (1911), S. 700

334 Ernst Křenek: «Zur Sprache gebracht». München 1958. S. 167
335 Franz Werfel in: «Arnold Schönberg zum 60. Geburtstag», a. a. O., S. 14
336 Hans Ferdinand Redlich in: «23. Eine Wiener Musikzeitschrift» 15/16 (1934), S. 7 f
337 Hans E. Wind: «Die Endkrise der bürgerlichen Musik und die Rolle Arnold Schönbergs». Wien 1935. S. 70
338 Igor Strawinsky: «Musikalische Poetik». In: Strawinsky, a. a. O., S. 171 f
339 Aron Copland: «Unsere neue Musik». München 1947. S. 40
340 Theodor W. Adorno: «Prismen». Frankfurt a. M. 1955. S. 188
341 Hanns Eisler: «Wir reden hier nicht von Napoleon . . . Gespräche mit Nathan Notowicz». Berlin 1971. S. 46 f

BIBLIOGRAPHIE

1. Bibliographien

Eine umfassende Bibliographie der Schriften Arnold Schönbergs ist als Anhang beigefügt in

BRINKMANN, REINHOLD: Arnold Schönberg. Drei Klavierstücke op. 11. Wiesbaden 1969

Eine umfassende Bibliographie der Literatur über Arnold Schönberg liegt bislang nicht vor; die im folgenden angeführten Titel stellen eine Auswahl dar. Der Versuch einer Bibliographie der «Zweiten Wiener Schule» und ihrer Nachfolger wurde unternommen von

BASART, ANN PHILLIPS: Serial music. A classified bibliography of writings on twelve-tone and electronic music. Berkeley–Los Angeles 1961

2. Schriften von Arnold Schönberg (Auswahl)

Harmonielehre. Leipzig–Wien 1911 – 7. Aufl. Wien 1966
Texte. Wien 1926
Models for beginners in composition. 2. Aufl. New York 1943
Style and idea. New York 1950
Structural functions of harmony. London 1954 – Dt.: Die formbildenden Tendenzen der Harmonie. Mainz 1957
Moses und Aron [Textauszug]. Mainz 1957
Briefe. Hg. von ERWIN STEIN. Mainz 1958
Preliminary exercises in counterpoint. Hg. von LEONARD STEIN. London 1963
Schöpferische Konfessionen. Hg. von WILLI REICH. Zürich 1964
Fundamentals of musical composition. Hg. von GERALD STRANG und LEONARD STEIN. London 1967

3. Dokumente

RUFER, JOSEF: Das Werk Arnold Schönbergs. Kassel–Basel–London–New York 1959
Schönberg – Webern – Berg. Bilder, Partituren, Dokumente. Ausstellungskatalog des Museums des XX. Jahrhunderts. Wien 1969
[Unter dem gleichen Titel auch Katalog des Gemeentemuseum Den Haag 1969.]
RAUCHHAUPT, URSULA VON (Hg.): Die Streichquartette der Wiener Schule. Schoenberg, Berg, Webern. Eine Dokumentation. Hamburg 1971

4. Gesamtdarstellungen

LEIBOWITZ, RENÉ: Schoenberg et son école. Paris 1947

Schoenberg. Paris 1969

MEYEROWITZ, JAN: Arnold Schönberg. Berlin 1967

NEWLIN, DIKA: Bruckner, Mahler, Schoenberg. New York 1947 – Dt.: Wien 1954

PAYNE, ANTHONY: Schoenberg. London–New York–Toronto 1968

REICH, WILLI: Schönberg oder Der konservative Revolutionär. Wien–Frankfurt a. M.–Zürich 1968

SCHOLLUM, ROBERT: Die Wiener Schule. Schönberg, Berg, Webern. Entwicklung und Ergebnis. Wien 1969

STEFAN, PAUL: Arnold Schönberg. Wandlung, Legende, Erscheinung, Bedeutung. Wien–Berlin–Leipzig 1924

STUCKENSCHMIDT, HANS HEINZ: Arnold Schönberg. Zürich–Freiburg i. B. 1951 – 2. Aufl. 1957

WELLESZ, EGON: Arnold Schönberg. Leipzig–Wien–Zürich 1921

5. Würdigungen und Lebenszeugnisse

a) Festschriften

Arnold Schönberg. Mit Beiträgen von ALBAN BERG, PARIS VON GÜTERSLOH, WASSILY KANDINSKY u. a. München 1912

Arnold Schönberg zum 50. Geburtstage. [Sonderheft:] Musikblätter des Anbruch. Wien 1924

Arnold Schönberg zum 60. Geburtstag am 13. September 1934. Wien 1934

ARMITAGE, MERLE (Hg.): Schoenberg. New York 1937

[Mit Beiträgen u. a. von R. SESSIONS, E. KŘENEK, E. STEUERMANN.]

b) Aufsätze

ADORNO, THEODOR W.: Arnold Schönberg (1874–1951). In: Neue Rundschau, 1953, S. 80–104 – Wiederabdruck in: ADORNO, Prismen. Kulturkritik und Gesellschaft. Frankfurt a. M. 1955

BYRNS, HAROLD: Meine Begegnung mit Arnold Schönberg. In: Melos 6 (1971)

EISLER, HANNS: Arnold Schönberg. In: Sinn und Form 1 (1955)
Über Arnold Schönberg. In: HANS BUNGE, Fragen Sie mehr über Brecht. Hanns Eisler im Gespräch. München 1970

FUCHS, VICTOR: Arnold Schönberg als Soldat im Ersten Weltkrieg. In: Melos 4 (1966)

LEIBOWITZ, RENÉ: Arnold Schoenberg ou Sisyphe dans la musique contemporaine. Liège 1950

MILHAUD, DARIUS: Erinnerungen an Arnold Schönberg. In: Österreichische Musikzeitschrift 12 (1955)

RUBSAMEN, WALTER H.: Arnold Schönberg in Amerika. In: Melos 5/6 (1953)

RUFER, JOSEF: Schönberg – gestern, heute und morgen. In: Schweizerische Musikzeitung 4 (1965)

SESSIONS, ROGER: Schoenberg in the United States. In: Tempo 9 (1944)

SPECHT, RICHARD: Arnold Schönberg. Eine Vorbemerkung. In: Der Merker 17

(1911)

Szmolyan, Walter: Die Geburtsstätte der Zwölftonmusik. In: Österreichische Musikzeitschrift 3 (1971)

3 (1971)

Wellesz, Egon: Schönberg und die Anfänge der Wiener Schule. In: Österreichische Musikzeitschrift 5 (1960)
Begegnungen in Wien. In: Melos 1 (1966)
Erinnerungen an Arnold Schönberg. In: Österreichische Musikzeitschrift 6/7 (1968)

Wind, Hans E.: Die Endkrise der bürgerlichen Musik und die Rolle Arnold Schönbergs. Wien 1935

6. Untersuchungen

Adorno, Theodor W.: Schönberg und der Fortschritt. In: Adorno, Philosophie der Neuen Musik. 2. Aufl. Frankfurt a. M. 1958
Zur Vorgeschichte der Reihenkomposition. In: Adorno, Klangfiguren. Musikalische Schriften I. Berlin–Frankfurt a. M. 1959
Der dialektische Komponist. In: Adorno, Impromptus. Frankfurt a. M. 1968

Birke, Joachim: Richard Dehmel und Arnold Schönberg. Ein Briefwechsel. In: Musikforschung 3 (1958)

Dahlhaus, Carl: Arnold Schönberg und Bach. In: Neue Zeitschrift für Musik 3 (1967)
Emanzipation der Dissonanz. In: Aspekte der Neuen Musik. Festschrift für Hans Heinz Stuckenschmidt. Kassel 1968

Glück, Franz: Briefe von Arnold Schönberg an Adolf Loos. In: Österreichische Musikzeitschrift 1 (1961)

Jalowetz, Heinrich: On the spontaneity of Schoenberg's music. In: Musical Quarterly 4 (1944)

Kirchmeyer, Helmut: Schönberg und Hauer. Eine Studie über den sog. Wiener Prioritätsstreit. In: Neue Zeitschrift für Musik 7/8 (1966)

Krieger, Georg: Schönbergs Werke für Klavier. Göttingen 1968

Lichtenfeld, Monika: Schönberg und Hauer. In: Melos 4 (1965)

Metzger, Heinz-Klaus: Webern und Schönberg. In: Die Reihe Bd. 2. Wien 1955

Nelson, Robert U.: Schoenberg's variation seminar. In: Musical Quarterly 2 (1964)

Newlin, Dika: The Schoenberg-Nachod Collection. A preliminary report. In: Musical Quarterly 1 (1968)

Notowicz, Nathan: Eisler und Schönberg. In: Deutsches Jahrbuch der Musikwissenschaft für 1963. Leipzig 1964

Oesch, Hans: Hauer und Schönberg. In: Österreichische Musikzeitschrift 3 (1960)

Perle, George: Serial composition and atonality. An introduction to the music of Schoenberg, Webern and Berg. Berkeley–Los Angeles 1963

Pfrogner, Hermann: Die Zwölfordnung der Töne. Zürich–Leipzig–Wien 1953

PILLIN, BORIS WILLIAM: Some aspects of counterpoint in selected works of Arnold Schoenberg. Los Angeles 1970

PÜTZ, WERNER: Studien zum Streichquartettschaffen bei Hindemith, Bartók, Schönberg und Webern. Regensburg 1968

REICH, WILLI: Vom Wiener «Schönberg-Verein». In: Schweizerische Musikzeitung 6 (1965)

RICHTER, LUKAS: Schönbergs Harmonielehre und die freie Atonalität. In: Deutsches Jahrbuch für Musikwissenschaft für 1968. Leipzig 1969

ROGGE, WOLFGANG: Das Klavierwerk Arnold Schönbergs. Regensburg 1964

ROMANO, JACOBO, und JORGE ZULETA: Arnold Schoenberg. La obra completa para piano. Madrid 1965

RUFER, JOSEF: Die Komposition mit zwölf Tönen. Berlin 1952
Schönberg als Maler. Grenzen und Konvergenzen der Künste. In: Aspekte der Neuen Musik. Festschrift für Hans Heinz Stuckenschmidt. Kassel 1968
Begriff und Funktion von Schönbergs Grundgestalt. In: Melos 7/8 (1971)

SCHWARZ, BORIS: Arnold Schönberg in Soviet Russia. In: Perspectives on Schoenberg and Stravinsky. Hg. von BENJAMIN BORETZ und EDWARD T. CONE. Princeton 1968

STEIN, ERWIN: Neue Formprinzipien. In: Arnold Schönberg zum 50. Geburtstage. Wien 1924

STUCKENSCHMIDT, HANS HEINZ: Stil und Ästhetik Arnold Schönbergs. In: STUCKENSCHMIDT, Schöpfer der Neuen Musik. Frankfurt a. M. 1958
Arnold Schönbergs musikalischer Expressionismus. In: H. STEFFEN (Hg.), Der deutsche Expressionismus. Göttingen 1965

VLAD, ROMAN: Storia della dodecafonia. Mailand 1958

WELLESZ, EGON: The origins of Schoenberg's twelve-tone system. Washington, D. C. 1958

WÖRNER, KARL H.: Prima la seria – dopo la musica? In: Aspekte der Neuen Musik. Festschrift für Hans Heinz Stuckenschmidt. Kassel 1968
Schönberg und das Theater. In: WÖRNER, Die Musik in der Geistesgeschichte. Bonn 1970

7. Zu einzelnen Werken

ADORNO, THEODOR W.: Arnold Schönberg. Phantasie für Geige mit Klavierbegleitung op. 47. In: ADORNO, Der getreue Korrepetitor. Lehrschriften zur musikalischen Praxis. Frankfurt a. M. 1963
Über einige Arbeiten Arnold Schönbergs. In: ADORNO, Impromptus. Frankfurt a. M. 1968 [op. 20 u. a.]

BABBITT, MILTON: Three essays on Schoenberg. In: Perspectives on Schoenberg and Stravinsky. Hg. von BENJAMIN BORETZ und EDWARD T. CONE. Princeton 1968 [op. 15, op. 36, Moses und Aron]

BRINKMANN, REINHOLD: Arnold Schönberg. Drei Klavierstücke op. 11. Wiesbaden 1969
Einige Bemerkungen zu Schönbergs Orgelvariationen. In: Musik und Kirche, Jg. 39/1969
Schönberg und George. In: Archiv für Musikwissenschaft 16 (1969) [op. 15]

CRAFT, ROBERT: Schoenberg's Five Pieces for Orchestra. In: Perspectives on Schoenberg and Stravinsky. Hg. von BENJAMIN BORETZ und EDWARD T. CONE. Princeton 1968

DAHLHAUS, CARL: Schönbergs Variationen für Orchester. München 1968

EHRENFORTH, KARL HEINRICH: Ausdruck und Form. Schönbergs Durchbruch zur Atonalität in den George-Liedern op. 15. Bonn 1963

ENGELMANN, HANS ULRICH: Schönbergs Variationen für Orchester. In: Melos 12 (1966)

GERLACH, REINHARD: War Schönberg von Dvořák beeinflußt? Zu Arnold Schönbergs Streichquartett D-Dur. In: Neue Zeitschrift für Musik 3 (1972)

GÜNTHER, HELMUT: Pierrot lunaire – konzertant oder szenisch? In: Musica 1 (1971)

KELLER, HANS: Schoenberg's Moses und Aron. In: The Score 21 (1957)

KIRCHMEYER, HELMUT: Die zeitgeschichtliche Symbolik des Pierrot lunaire. In: Beiheft zur Wergo-Schallplatte WER 60001
Zur Frühgeschichte der Zwölftontechnik. Arnold Schönbergs Serenade op. 24. In: Beiheft zur Wergo-Schallplatte WER 60002

LEWIN, DAVID: A study of hexachord levels in Schoenberg's Violin Fantasy. In: Perspectives on Schoenberg and Stravinsky. Hg. von BENJAMIN BORETZ und EDWARD T. CONE. Princeton 1968
Moses and Aron. Some general remarks and analytic notes für act I, scene I. In: Perspectives on Schoenberg and Stravinsky. Hg. von BENJAMIN BORETZ und EDWARD T. CONE. Princeton 1968

LÜCK, RUDOLF: Die Generalbaß-Aussetzungen Arnold Schönbergs. In: Deutsches Jahrbuch für Musikwissenschaft für 1963. Leipzig 1964

STAEMPFLI, EDWARD: Das Streichtrio op. 45 von Arnold Schönberg. In: Melos 2 (1970)
Pelleas und Melisande. Eine Gegenüberstellung der Werke von Claude Debussy und Arnold Schonberg. In: Schweizerische Musikzeitung 2 (1972)

STUCKENSCHMIDT, HANS HEINZ: Moderne Psalmen. In: Österreichische Musikzeitschrift 2 (1957)

WATKINS, GLENN E.: Schoenberg and the organ. In: Perspectives on Schoenberg and Stravinsky. Hg. von BENJAMIN BORETZ und EDWARD T. CONE. Princeton 1968

WÖRNER, KARL H.: «Und trotzdem bete ich». Arnold Schönbergs letztes Werk: Moderne Psalmen. In: Neue Zeitschrift für Musik 3 (1957)
Gotteswort und Magie. Die Oper Moses und Aron von Arnold Schönberg. Heidelberg 1959
Musik zwischen Theologie und Weltanschauung. Das Oratorium Die Jakobsleiter. In: Schweizerische Musikzeitung 5/6 (1965)
Symbolismus und Expressionismus. Die glückliche Hand. Und: Schönbergs Erwartung und das Ariadne-Thema. In: WÖRNER, Die Musik in der Geistesgeschichte. Bonn 1970

ZILLIG, WINFRIED: Schönbergs Moses und Aron. In: Melos 3 (1957)
Arnold Schönbergs Jakobsleiter. In: Österreichische Musikzeitschrift 5 (1961)

WERKVERZEICHNIS

1. Werke mit Opuszahlen

op. 1 *Zwei Gesänge für Bariton und Klavier* (1897 oder 1898)
«Dank» (Levetzow)
«Abschied» (Levetzow)

op. 2 *Vier Lieder für eine Singstimme und Klavier* (1899)
«Erwartung» (Dehmel)
«Schenk mir deinen goldenen Kamm» (Dehmel)
«Erhebung» (Dehmel)
«Waldsonne» (Schlaf)

op. 3 *Sechs Lieder für eine mittlere Singstimme und Klavier* (1899–1903)
«Wie Georg von Frundsberg» (Aus: «Des Knaben Wunderhorn»)
«Die Aufgeregten» (Keller)
«Warnung» (Dehmel)
«Hochzeitslied» (Jacobsen)
«Geübtes Herz» (Keller)
«Freihold» (Lingg)

op. 4 *Verklärte Nacht.* Streichsextett (1899)
1. Bearbeitung für Streichorchester (1917)
2. Bearbeitung für Streichorchester (1943)

op. 5 *Pelleas und Melisande.* Symphonische Dichtung für Orchester (1903)

op. 6 *Acht Lieder für Gesang und Klavier* (1903–05)
«Traumleben» (Hart)
«Alles» (Dehmel)
«Mädchenlied» (Remer)
«Verlassen» (Conradi)
«Ghasel» (Keller)
«Am Wegrand» (Mackay)
«Lockung» (Aram)
«Der Wanderer» (Nietzsche)

op. 7 *I. Streichquartett in d-moll* (1905)

op. 8 *Sechs Lieder für Gesang und Orchester* (1904)
«Natur» (Hart)
«Das Wappenschild» (Aus: «Des Knaben Wunderhorn»)
«Sehnsucht» (Aus: «Des Knaben Wunderhorn»)
«Nie ward ich Herrin müd'» (Petrarca)
«Voll jener Süße» (Petrarca)
«Wenn Vöglein klagen» (Petrarca)

op. 9 *I. Kammersymphonie für 15 Soloinstrumente* (1906)
1. Bearbeitung für Orchester (o. J.)
2. Bearbeitung für Orchester (1935) = op. 9 b

op. 10 *II. Streichquartett in fis-moll* mit Gesang (1907–08)
(Dritter und vierter Satz: «Litanei» und «Entrückung» nach George)

op. 11 *Drei Klavierstücke* (1909)

op. 12 *Zwei Balladen für Gesang und Klavier* (1907)
«Der verlorene Haufen» (Klemperer)

«Jane Grey» (Ammann)

op. 13 *Friede auf Erden* (Meyer) für gemischten Chor a cappella (1907)

op. 14 *Zwei Lieder für Gesang und Klavier* (1907/08)
  «Ich darf nicht dankend» (George)
  «In diesen Wintertagen» (Henckel)

op. 15 *Fünfzehn Gedichte aus «Das Buch der hängenden Gärten»* (George) für eine Singstimme und Klavier (1908/09)

op. 16 *Fünf Orchesterstücke* (1909)
  Reduktion für Standardorchester (1949)

op. 17 *Erwartung* (Pappenheim). Monodram für Sopran und Orchester (1909)

op. 18 *Die glückliche Hand* (Schönberg). Drama mit Musik (1908–13)

op. 19 *Sechs kleine Klavierstücke* (1911)

op. 20 *Herzgewächse* (Maeterlinck) für hohen Sopran, Harmonium, Celesta und Harfe (1911)

op. 21 *Pierrot lunaire* (Giraud/Hartleben) für eine Sprechstimme, Klavier, Flöte (auch Piccolo), Klarinette (auch Baßklarinette), Violine (auch Bratsche) und Violoncello (1912)

op. 22 *Vier Lieder für Gesang und Orchester* (1913–16)
  «Alle, welche dich suchen» (Rilke)
  «Mach mich zum Wächter deiner Weiten» (Rilke)
  «Vorgefühl» (Rilke)
  «Seraphita» (Dowson/George)

op. 23 *Fünf Klavierstücke* (1920–23)

op. 24 *Serenade* für Klarinette, Baßklarinette, Mandoline, Gitarre, Violine, Bratsche, Violoncello und Bariton (1920–23)
  (Vierter Satz: «Sonett» von Petrarca)

op. 25 *Suite für Klavier* (1921)

op. 26 *Quintett* für Flöte, Oboe, Klarinette, Horn und Fagott (1923)

op. 27 *Vier Stücke für gemischten Chor* (1925)
  «Unentrinnbar» (Schönberg)
  «Du sollst nicht, du mußt» (Schönberg)
  «Mond und Menschen» (Bethge)
  «Der Wunsch des Liebhabers» (Bethge)

op. 28 *Drei Satiren für gemischten Chor* (1925)
  «Am Scheideweg» (Schönberg)
  «Vielseitigkeit» (Schönberg)
  «Der neue Klassizismus» (Schönberg)

op. 29 *Suite* für Klavier, Klarinette, Baßklarinette, Violine, Viola und Violoncello (1924–26)

op. 30 *III. Streichquartett* (1927)

op. 31 *Variationen für Orchester* (1926–28)

op. 32 *Von heute auf morgen.* Oper in einem Akt (Blonda; 1928/29)

op. 33 a *Klavierstück* (1928)
33 b *Klavierstück* (1931)

op. 34 *Begleitmusik zu einer Lichtspielszene für Orchester* (1920/30)

op. 35 *Sechs Stücke für Männerchor* (1929/30)
  «Hemmung» (Schönberg)
  «Das Gesetz» (Schönberg)

«Ausdrucksweise» (Schönberg)
«Glück» (Schönberg)
«Landsknechte» (Schönberg)
«Verbundenheit» (Schönberg)

op. 36 *Konzert für Violine und Orchester* (1934–36)

op. 37 *IV. Streichquartett* (1936)

op. 38 *II. Kammersymphonie* (1906–39)

op. 39 *Kol Nidre*. Für Sprecher, gemischten Chor und Orchester (1938)

op. 40 *Variationen über ein Rezitativ für Orgel* (1941)

op. 41 *Ode an Napoleon Buonaparte* (Byron) für Sprecher, Streichquartett und Klavier (1942)

    41b Bearbeitung für Streichorchester, Klavier und Sprecher

op. 42 *Konzert für Klavier und Orchester* (1942)

op. 43a *Thema und Variationen für Blasorchester* (1942)

    43b Bearbeitung für großes Orchester

op. 44 *Prelude für Orchester und gemischten Chor* (1945)

op. 45 *Streichtrio* (1946)

op. 46 *Ein Überlebender aus Warschau* (Schönberg) für Sprecher, Männerchor und Orchester (1947)

op. 47 *Phantasie für Violine mit Klavierbegleitung* (1949)

op. 48 *Drei Lieder für Gesang und Klavier* (1933)
    «Mädchenlied» (Haringer)
    «Sommermüd» (Haringer)
    «Tod» (Haringer)

op. 49 *Drei Volkslieder für gemischten Chor a cappella* (1948)
    «Es gingen zwei Gespielen gut»
    «Der Mai tritt ein mit Freuden»
    «Mein Herz in steten Treuen»

op. 50a *Dreimal tausend Jahre* (Runes) für gemischten Chor a cappella (1949)

    50b *De profundis* (130. Psalm) für sechsstimmigen gemischten Chor a cappella (1950)

    50c *Moderner Psalm* (Schönberg) für Sprecher, vierstimmigen gemischten Chor und Orchester (1950)

2. Werke ohne Opuszahlen

Gurrelieder (Jacobsen) für Soli, Sprecher, Chor und Orchester (1900–11)

Die Jakobsleiter (Schönberg). Oratorium für Soli, Chor und Orchester [unvollendet] (1917–22)

Moses und Aron (Schönberg). Oper in drei Akten [unvollendet] (1930–32)

NAMENREGISTER

Die kursiv gesetzten Zahlen bezeichnen die Abbildungen

183

ÜBER DEN AUTOR

EBERHARD FREITAG wurde 1946 in Bielefeld geboren. Studium in Münster, Berlin und Wien. 1970 Forschungsstipendium in den USA, Inventarisationsarbeiten im Schönberg-Nachlaß. Schreibt zur Zeit an einer Dissertation über Schönberg als Maler.

QUELLENNACHWEIS DER ABBILDUNGEN

rowohlts monographien

BEDEUTENDE PERSÖNLICHKEITEN
DARGESTELLT IN SELBSTZEUGNISSEN UND BILDDOKUMENTEN
HERAUSGEGEBEN VON KURT KUSENBERG

E/X

MARX / Werner Blumenberg [76]
NIETZSCHE / Ivo Frenzel [115]
PASCAL / Albert Béguin [26]
PLATON / Gottfried Martin [150]
ROUSSEAU / Georg Holmsten [191]
SCHLEIERMACHER / Friedrich Wilhelm Kantzenbach [126]
SCHOPENHAUER / Walter Abendroth [133]
SOKRATES / Gottfried Martin [128]
SPINOZA / Theun de Vries [171]
RUDOLF STEINER / J. Hemleben [79]
VOLTAIRE / Georg Holmsten [173]
SIMONE WEIL / A. Krogmann [166]

RELIGION

SRI AUROBINDO / Otto Wolff [121]
KARL BARTH / Karl Kupisch [174]
JAKOB BÖHME / Gerhard Wehr [179]
MARTIN BUBER / Gerhard Wehr [147]
BUDDHA / Maurice Percheron [12]
EVANGELIST JOHANNES / Johannes Hemleben [194]
FRANZ VON ASSISI / Ivan Gobry [16]
JESUS / David Flusser [140]
LUTHER / Hanns Lilje [98]
MÜNTZER / Gerhard Wehr [188]
PAULUS / Claude Tresmontant [23]
TEILHARD DE CHARDIN / Johannes Hemleben [116]

GESCHICHTE

ALEXANDER DER GROSSE / Gerhard Wirth [203]
BEBEL / Helmut Hirsch [196]
BISMARCK / Wilhelm Mommsen [122]
CAESAR / Hans Oppermann [135]
FRIEDRICH II. / Georg Holmsten [159]
GUTENBERG / Helmut Presser [134]
HO TSCHI MINH / Reinhold Neumann-Hoditz [182]
W. VON HUMBOLDT / Peter Berglar [161]
KARL DER GROSSE / Wolfgang Braunfels [187]
LENIN / Hermann Weber [168]
LUXEMBURG / Helmut Hirsch [158]
MAO TSE-TUNG / Tilemann Grimm [141]
NAPOLEON / André Maurois [112]

RATHENAU / Harry Wilde [180]
SCHUMACHER / H. G. Ritzel [184]
TITO / Gottfried Prunkl u. Axel Rühle [199]
TROTZKI / Harry Wilde [157]

PÄDAGOGIK

PESTALOZZI / Max Liedtke [138]

NATURWISSENSCHAFT

DARWIN / Johannes Hemleben [137]
EINSTEIN / Johannes Wickert [162]
GALILEI / Johannes Hemleben [156]
OTTO HAHN / Ernst H. Berninger [204]
A. VON HUMBOLDT / Adolf Meyer-Abich [131]
KEPLER / Johannes Hemleben [183]
MAX PLANCK / Armin Hermann [198]

MEDIZIN

ALFRED ADLER / Josef Rattner [189]
FREUD / Octave Mannoni [178]
C. G. JUNG / Gerhard Wehr [152]
PARACELSUS / Ernst Kaiser [149]

KUNST

DÜRER / Franz Winzinger [177]
MAX ERNST / Lothar Fischer [151]
KLEE / Carola Giedion-Welcker [52]
LEONARDO DA VINCI / Kenneth Clark [153]
PICASSO / Wilfried Wiegand [205]

MUSIK

BACH / Luc-André Marcel [83]
BEETHOVEN / F. Zobeley [103]
BRAHMS / Hans A. Neunzig [197]
BRUCKNER / Karl Grebe [190]
CHOPIN / Camille Bourniquel [25]
HÄNDEL / Richard Friedenthal [36]
LISZT / Everett Helm [185]
MAHLER / Wolfgang Schreiber [181]
MOZART / Aloys Greither [77]
OFFENBACH / Walter Jacob [155]
SCHÖNBERG / Eberhard Freitag [202]
SCHUMANN / André Boucourechliev [6]
R. STRAUSS / Walter Deppisch [146]
TELEMANN / Karl Grebe [170]
VERDI / Hans Kühner [64]
WAGNER / Hans Mayer [29]

Theodor W. Adorno

rowohlts deutsche enzyklopädie

Einleitung in die Musiksoziologie

Zwölf theoretische Vorlesungen

«rowohlts deutsche enzyklopädie» Band 292/93

Nervenpunkte der Neuen Musik

Ausgewählt aus Klangfiguren

«rowohlts deutsche enzyklopädie» Band 333

485/2